新潮文庫

初ものがたり

宮部みゆき著

新潮社版

6320

目次

初ものがたり

お勢殺し

一

深川富岡橋《ふかがわとみおかばし》のたもとに奇妙な屋台が出ている——という噂《うわさ》を耳にしたのは、ちょうど藪入《やぶい》りの日のことだった。

新年一月十六日、俗に「地獄の釜《かま》の蓋《ふた》も開《あ》く」と言われる藪入りは、盆の藪入りと共に、厳しいお店《たな》暮らしの奉公人たちにとっては一年のうちで何よりも楽しい日であった。一日お暇をもらい、親元に、家族の元に帰ってのんびりと過ごす。墓参りをする。勝手向きの具合がよく、奉公人思いのお店のなかには、この日、休みをとる奉公人たちに小遣いを渡すところもあり、たとえ雀《すずめ》の涙ほどの額であっても、日ごろは古着一枚自由には買うことのできない身分の者たちにとっては、それがまた輪をかけて嬉《うれ》しいことになる。

ただし、浮かれ気分のこの一日に、気をつけねばならないこともあった。奉公人たちのなかには、日帰りのきかない遠方から来ている者もいるし、様々な事情で帰る家のない者もいる。彼らのうえにも藪入りの浮かれ気分はひとしなみに訪れる。しかし、こういう寂しい身の上のお店者《たなもの》たちは、概してこの日、食い物屋や岡場所や酒場、見世物小屋や芝居小屋など、日ごろ入りつけない遊興場所で、厄介な騒ぎを引き起こしたり巻きこまれたりすることが多いのだ。それだから藪入りは、一面、十手持《じって》ちにとっては気の抜けない一日ともなるのである。

本所《ほんじょ》深川一帯をあずかり、「回向院《えこういん》の旦那《だんな》」と呼ばれる岡っ引きの茂七《もしち》のところも例外ではなかった。通称の由来のとおり、回向院裏のしもたやに住まう茂七のところには、下っ引きがふたり出入りしているが、彼らにとっての藪入りは、朝早くから夜木戸が閉まるころまで縄張《しま》一帯を見回り、この日だけお大尽《だいじん》気分のお店者たちが好んで立ち寄りそうな店々に顔をのぞかせて、それぞれの店の気質に合わせ、あんまりあくどいことをしなさんなと因果を含めておいたり、慣れない連中をよろしくなと頼んでおいたりという仕事に明け暮れるという一日だ。富岡橋のたもとの屋台の一件は、そういう行脚《あんぎゃ》仕事のあいだに、下っ引きのひとり糸吉《いときち》が耳に入れてきて、茂七のかみさんがこしらえた昼飯をかっこみながら話してくれたものだった。

「なんでその屋台が妙だって言うんだい」

糸吉よりも先にぶらぶら歩きの見回りから戻っていた茂七は、もう昼飯を済ませ、煙草《たばこ》をふかしていた。ふうと煙を吐きながら、どんぶり飯にくらいついている糸吉に問いかけた。

「熊《くま》の肉でも食わせるってわけじゃねえんだろう？」

「そんなわきゃねえですよ。あっしもちょいと見に行ってきたんですがね、売りもんはただの稲荷寿司《いなりずし》でさ、へえ」すきっ歯のあいだから盛大に飯粒を吹き飛ばしながら糸吉は答えた。「当たりめえの稲荷寿司ですよ、枕《まくら》ほどでっけえってこともありゃしません」

おひつを脇《わき》において糸吉の食べっぷりをながめていた茂七のかみさんも、これには吹き出した。

「そんな稲荷寿司だったなら、糸さんが食べずに帰ってくるわけないもんねえ」

笑いながら、糸吉の差し出したどんぶりにお代わりを盛ってやる。そのあいだに糸吉は、畳に散ったごはんつぶを拾い集めて口に入れる。どうしても黙って飯を食うことのできないおしゃべりな気質《たち》の糸吉の、これは日ごろの習慣である。

「ほんとでさ。だけどあっしはあいだ食いはしねえですよ。おかみさんの飯をたらふく食いたいからね」

「無駄口はいいから、ちゃんちゃんと話せ」茂七が促すと、糸吉は二杯目の飯を頬ばりながらもごもご言った。「夜っぴて開けてる屋台なんでさ」

「その稲荷寿司屋がかい」

「へえ。夜鳴き蕎麦《そば》でもねえのに、丑三《うしみ》ツ（午前二時）ごろまで明かりをつけて寿司を並べてるってんで、あのあたりの町屋の連中が首をひねり出しましてね。そりゃあ、あのあたりの店はみんな宵っぱりですけどね、それだって、仲見世の茶屋が店じまいするまでの時刻でしょう。丑三ツ刻《どき》まで開けてるなんてのは聞いたことがねえ。そんな遅い時分じゃあ、ふりの客なんか通りかかるわけがねえでしょう？　なんのために開けてるんですかね。しかも、そんな遅くまでやってるくせに、翌日の昼前にはもう商いを始めてるっていうから働きもんだよね」

たしかにそうだ――と、茂七はちょいと首をひねった。

富岡橋のあたりといったら、名高い富岡八幡《とみがおかはちまん》さまを背中にしょっているうえに、近くには閻魔堂《えんまどう》もある。一年中大勢の参詣客《さんけいきゃく》が訪れる場所として、屋台に限らず食い物商売にはうってつけのところだ。実際、出店《でみせ》は数多く、様々な食い物飲み物が売られている。そして、糸吉の言ったとおり、夜は夜で八幡宮の仲見世の明かりを恋うて訪れる男たち、洲崎《すさき》の遊郭帰りの客たちをあてこむことができるから、これらの店はみな夜更《よふ》けるまで明かりをつけていることも多いのだ。

だがそれでも、真夜中すぎまで開けているということはない。少なくとも、茂七が知っている限りでは。いくら吉原《よしわら》の向こうを張ると胸を張ってみても、やはりここらの町は夜ともなれば物騒なところであり、物取りや追剝《おいは》ぎ、猪牙舟《ちょきぶね》に菰《こも》をかけたようなお手軽なあつらえで稼ぐ女たちが跋扈《ばっこ》する土地柄である。そういう場所で、夜っぴてこうこうと明かりをつけて稲荷寿司を売っているというのは、解《げ》せないというよりも無謀なことであるように、茂七には感じられた。

「で、おめえはその屋台の親父《おやじ》の顔を見てきたのかい?」

茂七の問いに、糸吉はうなずいた。「親分よりちょいと若いくらいの年格好の親父です。髷《まげ》のここんとこらへんに――」と、耳の上のあたりを示して「だいぶ白髪《しらが》がありました。そういうとこは、親分より老《ふ》けてたね」

茂七は新年を迎えて五十五になった。五十の声を聞いたときに急にがっくり歳《とし》をとったような気分を味わったが、ここまでくると五十路《いそじ》にもすっかり慣れて、還暦まではまだ間がある、まだそれほどの歳じゃねえ、などと思ったりもするようになった。

「顔はどうだ。つやつやしてたか。それともしわしわか」

「さて」糸吉は真顔で思案した。「親分と比べてどうかってことですか?」

かみさんがまたぷっと笑った。茂七はふんと言って煙管《きせる》を火鉢の縁《ふち》に打ちつけた。

「まあいい。おいおい、俺もその親父の様子を見にいこう。新参者の屋台の親父がそんな商売をしてたんじゃ、遅かれ早かれもめ事が起こるだろう」

すると、糸吉は目をぱちぱちさせた。

「それがね、それも妙ってば妙なんですけど、梶屋《かじや》の連中もその親父のことじゃおとなしいんですよ」

梶屋というのは黒江町《くろえちょう》の船宿のことである。が、深川の者なら、誰もそれをそのとおりに受け取ったりはしない。梶屋は、この地の地回りやくざ連中を束ねる頭目である瀬戸の勝蔵《かつぞう》という男がとぐろを巻いている根拠地だ。店そのものは造りの小さい小綺麗《ぎれい》な船宿以外の何物にも見えないが、そこの畳を叩《たた》いてみれば、たちまち前が見えなくなるほどの埃《ほこり》が舞いたつというところだ。

この勝蔵も茂七と同年配の男だが、やくざ渡世を無駄に歳食ってすごしてきたわけではなく、とてもはしこい。縄張内の商店や屋台が言いなりの所場代《しょばだい》――ふざけたことに、勝蔵はこれを「店賃《たなちん》」と呼んでいるらしい――を払っている分には、手荒なことは何もしない。むしろ、争いごとの仲裁などもする（もっとも、そこで高い手数料をとるわけだが）し、火事や水害のときなどは、屋根に梶屋の屋号をつけたお救い小屋を建てたりする（そうやって地主連《じぬしれん》に貸しをつくるというわけだが）。博打場《ばくちば》もあちこちに隠し持っているが、これまでそこで素人衆《しろうとしゅう》を巻きこんだあからさまな血生臭いことが起こったというためしもない。茂七も勝蔵とは長い付き合いになるが、正直、縄張のなかにいられて、ひどくやりにくいという相手ではなかった。茂七がその手札《てふだ》を受けている南町奉行所の旦那も、

「勝蔵は、ごまの蠅《はえ》というよりは熊《くま》ん蜂《ばち》みたいな奴《やつ》だが、目のねえ熊ん蜂じゃあねえからな。目のねえあぶよりはましかもしれねえよ」

と認めているほどだ。

「するてえと、その親父、勝蔵に相当な鼻薬《はなぐすり》をかがしてるってえわけかな」

「そうとしか思えねえけど……」糸吉は、急に声を落とした。「でも、あのへんの店《みせ》屋《や》でちらちら聞いた話だと、去年の師走《しわす》の入りのころ――ちょうどそのころ、その稲荷寿司屋が店開きをしたんですけどね――梶屋の手下《てか》がいっぺん、その親父んとこへ来たらしいんですよ。かなり強《こわ》もてでね。けど、半刻《はんとき》(一時間)もしないうちにとっとと帰っちまって、そのあと、勝蔵がじきじきに御神輿《おみこし》あげてやってきて、なにやら話しこんで、また半刻ばかりで引き上げて、それっきり音沙汰《おとさた》もおかまいもなしだってんです」

「千両箱でもぶつけられたんじゃないの」と、かみさん。「勝蔵って人はそういう人

よ」

「いやいや、おかみさん、そういうけどね、でも俺の聞いた話じゃ、そのときの勝蔵が、なんだか小便でももらしそうな顔してたっていうんでさ。妙でしょ？　あの勝蔵がですよ」

今度こそ、茂七も本当に首をかしげた。これは、ちょっと妙だという以上のものだ。勝蔵がじきじき雪駄《せった》をつっかけてお運びに及んだなどという話、これまで耳にしたことはない。

その稲荷寿司屋、怖いもの知らずの素人屋台というだけでは片付けることのできないものかもしれない。煙管を手にしたまま、茂七は、こいつはうっかり手出しはできねえかもしれないぞと考えこんでいた。

ところが、そんな茂七のもの思いは、表から聞こえてきた新しい声に破られた。

「昼飯はお済みですか、親分」

戸口のところで、牛《うし》の権三《ごんぞう》が膝《ひざ》をつき、こちらを見ていた。空っ風に巻かれた木の葉のような糸吉とは正反対で、急ぎのときでさえ走らずにのしのし歩く。どたどた音をたてることこそないものの、あまりに鈍重なその動作に、「牛」という通り名がついたという男だ。新川《しんかわ》の酒問屋に三十年勤めあげ番頭にまでなったのに、些細《ささい》なことでお店《たな》を追われ、あれこれあって、四十五という歳で茂七の下っ引きになって一年経《た》つ。この道では、やっと二十歳《はたち》になったばかりの糸吉よりも新米である。

茂七の元には、長いこと、文次《ぶんじ》という若者が下っ引きとして働いていたのだが、この文次が、二年ほど前、ちょっとした縁に恵まれ、ある小商いの店から婿《むこ》にと望まれた。茂七はもともと、こういう稼業《かぎょう》で食ってゆくには文次は少しばかり気が優しすぎると案じていたこともあり、本人が承知ならと喜んでこの話を受け入れた。

岡っ引きと下っ引き——つまり親分と手下との関わりには濃い薄いがある。常に親分のそばについて一緒に働く手下もいれば、用のある時だけ呼び出されて仕事を請け負う者もいる。茂七にとって、文次は関わりの濃い手下だったので、彼がいなくなると、当時はいっぺんに身辺が寂しくなった気がしたものだ。

が、世の中巧《うま》くできている。文次が去ってまもなく、茂七もまた別の縁に巡り合い、最初に糸吉、次に権三と、続けて手下ができた。今ではかなりにぎやかな暮らしをしている。

「ああ済んだよ、なんだい」

「腹具合の悪くなりそうなもんがお出ましになりましたので」

お店時代の癖なのか、権三は持ってまわったものの言い方をする。だが、茂七はぴりりと緊張した。

「何が出たい」

「女の土左衛門《どざえもん》です」と、権三は答えた。

「下之橋《しものはし》の先で杭《くい》にひっかかってあがりました。すっ裸で、歳は三十ぐらいです。おかみさん申し訳ねえ、こんな話をお聞かせして」

三十年近く岡っ引きの女房をやっている女をつかまえてそんなことを言うところ、権三の芯《しん》はまだまだ番頭なのである。

「おめえも、いつまでたっても馬鹿《ばか》丁寧な野郎だ」と言いながら、帯に十手をねじこんで、茂七は立ちあがった。

二

大川端《おおかわばた》に引きあげられ、むしろで覆《おお》われていた女の土左衛門は、一見したところでは傷もなく、殴られたり叩かれたりしたようなけしきも残っていないきれいな身体《からだ》をしていた。それほどふくれた様子もないところから見て、水に入ってからせいぜいひと晩というところだろう。

「でけえな」

むしろをはぐり、女の肢体を一目見て、茂七はまずそう言った。死に体になって横たわっていてもすぐにそれと知れる背の高さとなると、生きていたときにはもっと大柄に感じられたことだろう。

「覚悟の身投げですかね？」

糸吉の問いに、茂七は逆に問い返した。

「なんでそう思う」

「死に顔がきれいですよ」

たしかに、女はかすかに眉《まゆ》をひそめたような表情を浮かべてはいるものの、恐怖や苦悶《くもん》の跡を窺《うかが》わせるようなところは見えない。

「女が心を決めてどぶんとやらかすときは、裸になんかならねえもんだ」

「川の水にもまれてるうちに着物が脱げちまったのかも」

「夏場ならともかく、この季節じゃ、まずそんなことはねえ、脱げるのは履き物ぐらいのもんだ」

新年のご祝儀《しゅうぎ》だろうか、年明けからずっと好天続き、今日もしごく御機嫌のお天道《てんとう》さまが輝いている。大川の水は空の色を映してどこまでも青く、そのままその上を滑って行くことができそうなほどに凪《な》いでいる。だが凪は頬を凍らすほどに冷たく、川《かわ》面《も》に身体を向けて立っていると、すぐに耳たぶや指先の感覚がなくなってきた。この寒さでは、誰もがしっかり紐《ひも》や帯を締めて着物を着込んでいるし、いったいに、水に入って死のうという連中は、飛びこんだときの水の冷たさを思ってのことだろうが、普段よりも厚着をするものだ。それだけの支度が、荒れてもいない川の流れに巻かれたくらいで、ここまできれいに裸になるということは考えられない。

「じゃ、岡場所女の足抜けだ」糸吉は、思い付いたことをすぐ口に出す。「逃げようとしたところを見つかって、川へざぶんと投げられた」

茂七は笑った。「それなら、もうちっと辛《つら》そうな怖そうな顔をしてそうなもんだ。てめえがさっき言ったことと違うぞ。それに、足抜けしようとして殺された女なら、身体に折檻《せっかん》の痕《あと》が残ってる。あて推量はそのへんにして、権三を手伝って、集まってる野次馬のなかから、何か拾いだせねえかどうか当たってみろ」

糸吉を追っ払い、茂七は女の身体の検分を続けた。肌のきめ、下腹《したっぱら》や乳房の具合から して、権三のつけた年齢の見当は当たっていよう。腕や首、顔のあたりの肌色が、胸や太ももなど、着物で隠れている部分の肌よりも薄黒いように見える。それに、二の腕や太ももの肉の付きかた——堅く張り詰めて、頑丈そうだ。

これが男なら、お天道さんの下で力仕事をしている野郎だと、茂七はすぐに見当をつけただろう。だが、この仏は女だ。

（うん？　これは……）

女の右肩に、茂七のてのひらぐらいの大きさの、薄い痣《あざ》のような部分がある。触れてみると、そこだけ皮膚が堅くなっていた。

「おい」まだ仏のほうを向いたまま、茂七は手下《てか》たちを呼び寄せた。ふたりは急いで人ごみを抜け近寄ってきた。

「女の行商人を探してくれ。まずはこのあたりからだ。見掛けたことはねえかってな。てんびん棒担《かつ》いで商う行商だ。魚や野菜――ひょっとすると酒かもしれねえ。女でそういう担ぎ売りをするのは珍しいから、うまくいけばすぐに当たりがあるだろう」

「この女がそういう商いだっていうんですかい？」

権三の問いに、茂七はうなずいた。「右肩に胼胝《たこ》がある。それも年季の入った代物《しろもの》だ」

狙《ねら》いは当たっていたし、神さんからの遅いお年玉ということだろうか、茂七にはツキもあった。ようよう駆けつけてきた検使のお役人と話をしているあいだに、糸吉が女の身元をつかんできたのだ。

東永代町《ひがしえいたいちょう》の源兵衛店《げんべえだな》の住人で、名はお勢《せい》。担ぎの醤油《しょうゆ》売りだという。

「今朝からずっと姿が見えないし、部屋にもいない。商いに出た様子もないんで心配していたところです」

駆けつけた茂七たちに、源兵衛店の差配人はこう言って、苦い顔をした。

「それで、相手の男は見つかりましたか」

「相手の男？」

「ええ、お勢は心中したんでしょう？　あれだけ熱をあげてたんだ、ひとりで死ぬわけがない」

醤油売りのお勢は歳は三十二、心中の相手だと思われる男は、お勢が醤油を仕入れていた問屋野崎屋《のざきや》の手代で二十五になる音次郎《おとじろう》という男だという。茂七はすぐに、御《お》船蔵前町《ふなぐらまえまち》にあるという野崎屋に糸吉を走らせた。

差配人の話では、お勢は七十近い父親の猪助《いのすけ》とふたり暮らしで、猪助は酒の担ぎ売りをしていたという。

「父娘《おやこ》で仲良く働いて、こつこつ稼いできたんですがね。去年の春ごろ、猪助が身体をこわしまして。はっきりした理由はわからないんだが、熱が続いて飯も食えなくなって、とてもじゃないが酒の担ぎ売りどころじゃなくなった。一日寝たり起きたりでね。私も心配しまして、いろいろ手を尽くして、結局、ようよう秋口になって、小石川の養生所へ入れてもらえたんですよ」

「じゃあ、今もそこに」

「ええ。最初のうちはお勢もひんぱんに見舞いに行ってたんですがね、音次郎さんとできちまってからは親父《おやじ》なんかほっぽらかし、音次郎さんのあとばかりつけまわしていたんです。先方は、いっときの気まぐれの色恋からさめると、あとはただお勢から逃げ回っていたようでしたが」

「差配さんは、音次郎さんと会ったことがあるのかい」

「いいえ、ありません。あのひとはここへ来たことさえないから、お勢の色恋沙汰《ざた》を知ってるここの連中も、誰も音次郎さんの顔を見たことはないんです。お勢の話じゃ、そりゃいい男のようだったけど」

あたしゃやめろって言ったんですよと、差配人は苦りきった。

「いっとき、どれだけ優しいことを言われたんだか知らないが、相手は問屋の手代、しかも野崎屋でも切れ者で売ってるひとで、そろそろ番頭にとりたてられそうだって噂《うわさ》もあるんだよ、それに引き換えあんたは担ぎ売り、しかも年上だ、まともに釣り合う仲じゃないし、音次郎さんにあんたと所帯を持つような気持ちがあるわけがねえってね。だけどお勢は耳を貸してくれなかった。もし捨てられたら死ぬだけだし、そのときはひとりじゃ死なない音次郎さんも道連れだって、目をつり上げて言ってました。怖いようでしたよ」

怖いと言いながら、差配人の顔は痛ましいものを見るときのように歪《ゆが》んでいた。

「お勢は働きづめで、たしかに娘らしい楽しみなんか何も持っちゃいなかった。あの娘は大柄で骨太で色黒でね。女だてらに担ぎ売りなんかやれたのはその身体があったからですが、その分、娘としちゃ損ばっかりしてきた、そんな女だ。いきなり甘い夢見せられて、頭がおかしくなっちまったんでしょう。遊びだったんだろうけれど、音次郎さんも罪なことをしなすったもんです。まあ、もう死んじまったひとのことを悪くは言いませんが」

なんまんだぶなんまんだぶと唱える差配人を、茂七は苦笑してとめた。

「念仏はまだ早いよ、音次郎がお勢と心中したと決まったわけじゃねえ」

茂七のにらんだとおりだった。野崎屋に馳《は》せさんじて戻ってきた糸吉は、目をくりくりさせながらこう言ったのだ。

「音次郎って手代は、今朝早立ちして、川崎のおふくろのところへ帰ってるそうです。

藪入《やぶい》りですからね、親分」

まだ手を合わせたまま目をむいている差配人に、茂七は「そうらな」と言った。

三

音次郎がもしお勢殺しの下手人なら、もう野崎屋には戻ってこないだろう。だが、もし関わりがないか、あるいは関わりがないとしらを切り通すつもりでいるのなら、今夜のうちには戻ってくる。どっちみち川崎まで追っかけることもない。糸吉を野崎屋に張りこませておいて、茂七は権三とふたり、源兵衛店のお勢の部屋を調べることからとりかかった。

源兵衛店は十軒続きの棟割《むねわり》だが、建物の背後は幅三間ほどの掘割に面している。お勢の部屋からもじかに掘割をのぞむことができ、土手を乗り越えればすぐに水面だ。薄べったい布団《ふとん》に行李《こうり》がいくつかあるだけの、貧しい住まいだった。台所道具も使いこまれた古いものばかりだ。

「お勢はここから水に入りましたね」と、権三が言った。「殺しかどうかはわからねえけど、場所はここでしょう」

「どうしてだい」

「お勢は赤裸でした。外には出歩けねえ。着物ぐらい、どうとでも捨てることができる」

「他所《よそ》で裸にむかれたのかもしれねえ」

「行李のなかに、袷《あわせ》の着物が二枚、腰巻きが三枚、じゅばんも三枚入ってます。帯だの紐だのの数と突き合わせると、たぶんそれが、お勢の持ってた袷の着物の全部でしょう」

「だろうな、それは俺もそう思う」

別の行李には、お勢が商いに出るときに着る衣服の一式がふた揃《そろ》い入れられていた。担ぎの醤油売りは、着物の裾《すそ》をまくり、下には股引《ももひき》をはく。頭には頭巾《ずきん》をかぶって商いものに髪の毛が落ちるのをふせぐ。それらのうち、ひと揃いは洗ってたたんだままの様子だったが、上のほうにのせられていたもうひと揃いは明らかに昨日まで着られていたもののようで、襟が薄く汚れ、足袋の裏にも土埃《つちぼこり》がついていた。

「昨日の何時《なんどき》か、お勢は商いから戻ってきて、ここで支度をとって、そのまま川へ入った――あたしにはそう見えます」

「どうして着物を脱いだんだろう」

「それはわからないですが」権三は顔を曇らせた。「女ってのは、ときどき思い切ったことをしますからね」

「そいつは俺も同感だ」茂七は首をめぐらせ、土間の水瓶《みずがめ》の脇《わき》に重ねてある醬油桶《おけ》とてんびん棒に目をやった。「昨日、お勢が一度ここへ戻ってきたということにも同感だ」

土間に降り、醬油の匂《にお》いがしみこんだ桶に手を触れてみる。よく使いこまれたてんびん棒は、それだけでもちょっとした重さがある。すぐ脇には身体をこわすまで父親の猪助が使っていたものだろう、似たような担ぎ売りの一式が立て掛けてあったが、こちらは埃をかぶっていた。

「じゃ、やっぱりここで水に──」

権三を制して、茂七は続けた。「お勢は殺されたんだと、俺は思う。痕の残らねえ殺しかたはあるからな。着物も履き物もそっくりここにあるところを見ると、場所もここだろう。昨夜《ゆうべ》、遅くなってからのことじゃねえかな。それなら、潮の具合や川の流れからいって、ひと晩で下之橋あたりまで行っててもおかしくねえ。ただ、どうして裸にしたのかがわからねえがな」

そこのところはひっかかる。なんで裸にしたんだ？

お勢の部屋を出ると、茂七と権三は、源兵衛店の連中から、このところのお勢の様子と、昨日の彼女の出入りについて訊《き》き回ってみた。それによると、猪助が元気で商いをしていたころは、お勢も近所付き合いがよく、長屋のかみさん連中とも親しくしていたのだが、音次郎とのことが起こってからは、急に疎遠《そえん》になったという。

「あたしたちが、音次郎さんとのことでいい顔しなかったから、腹を立ててたんでしょう」と、かみさんのひとりが言った。

「あんた騙《だま》されてるんだよって、あたしはっきり言ったことがありますよ。相手は本気じゃない。お勢ちゃん、日銭稼ぎの暮らしは不安だからって、爪《つめ》に火を灯《とも》すみたいにして少しばかりお金を貯《た》めてたけど、音次郎なんてひとは、その金ほどもあてにはできない男だよって」

茂七はその金のことを頭に刻みこんだ。調べた限りでは、お勢の部屋に蓄えらしきものはなかったからだ。

昨日のお勢の動きについては、商いに出ていったのが何時《いつ》ごろだったのかははっきりしなかったが、帰ってきたところを見ていた者が見つかった。向かいに住む新内節《しんないぶし》の師匠が、昨日の夕方六《む》ツ（午後六時）に、てんびん棒担いだお勢が戸口を開けて部屋のなかに入ってゆくところを見かけたという。

「それって何も、昨日だけのことじゃありませんよ。あたしも毎日、だいたい夕方のその時刻に出稽古《でげいこ》から帰ってくるんです。お勢ちゃんが帰ってくるのを、今までも何度も見かけました。いつも六ツの鐘と一緒に帰ってきてました。そういう習慣だったんだね、きっと」

「後ろ姿を見たんだな？」

「ええ、だけど確かですよ。あれはお勢ちゃんでした。着物も頭巾もいつものやつでね」

「時刻は確かかい？」

「毎日のことだもの。それに、ちょうど六ツの鐘が鳴ってましたから」

となると殺しはそのあと、音次郎が──たぶん野郎が下手人だ──お勢を訪ねてあの部屋に入りこんだのもそれ以降ということになる。音次郎としては人目を避けたいところだから、もっと夜が更《ふ》けてからこっそり、ということが考えられる。

それはたぶん、お勢にも事前に報《しら》せていない訪問だったろうと茂七は思った。もし予告してあったなら、お勢がぽつねんとしていたわけがない。口止めされ、近所に言い触らすことはできなかったとしても、恋《いと》しい男の初めての訪問なのだから、食い物や酒ぐらいは用意しておきそうなものだ。だが、そんな気配はない。

もうひとつ、権三が耳寄りな話をつかんできた。源兵衛店の近所に、縫物の賃仕事をしている家があるのだが、お勢はそこに、新しい小袖《こそで》の仕立てを頼んでいたという。「お渡ししたのは、年明けです」と、そこの職人は言った。「正月明けの藪入りに間に合わせてくれって、きつく頼まれましたよ。なんでも、言い交わした人がいて、藪入りには一緒にそのひとのおっかさんに会いに行くんだって。そのとき着る着物だからってね」

その着物のこと、お勢はきっと、頬を染めて音次郎に打ち明けたに違いない。彼はそれをどういう顔で聞いたろう。

「女から逃げようとしてる男としちゃあ、まずいなあ、まずいなあという話でしょうね」と、権三が平べったい顔で言った。「お勢も可哀相《かわいそう》な女だ」

「それよりも問題は、お勢のその着物がどこにも見あたらねえってことだな」と、茂七は言った。

源兵衛店の面々、とりわけお勢の隣に暮らしている者たちからは特に念を入れて話を訊いてみたが、誰も、昨夜《ゆうべ》のうちに怪しげな物音や女の悲鳴、掘割にものが投げ込まれる水音を聞いたという者は出てこなかった。だが、これはまあ、お勢を殺した側も細心の注意をはらっていたことだろうから、期待するほうが甘い。そもそもそんな騒ぎが起こっていれば、そのときすぐに誰かが気づき、お勢の戸を叩《たた》いていたことだろうし。

住人たちのなかには昼間は留守の家も多い。彼らを待っての調べはひとまず権三に任せることにして、夕暮れの近づく町を、茂七は急ぎ小石川に向かった。養生所に入っている猪助に会うためである。

急な坂道をのぼりきったところにある門を抜け、番小屋でことの次第を話すと、差配人のほうから話がいっていたらしく、猪助が待っているという。

「ただ、長居は困ります。ここにいるのはみんな病人ですから」と、番人が言う。

「猪助の様子はどうなんです？」

「先生にうかがわないと、私にはわかりません。が、病人に手荒いことをされては困ります」

養生所は貧乏人にとっては有り難いところだが、岡っ引きに対しては、どうもこんなふうにつっぱらかっているところが厄介だ。俺たちお上の御用をあずかる連中は、病に苦しむ貧乏人たちにとっては仇敵《きゅうてき》だと思いこまれているらしい、まあ、実際、そういう岡っ引きも多いんだがと思いながら、茂七は教えられた大部屋へ向かった。

猪助は薄い布団の上に起き上がっていた。養生所のお仕着せにつつまれた身体は痩《や》せこけて、肩のあたりなど骨が浮き出て見えるが、思ったよりもしっかりしている。

ここの先生には、あと半月も辛抱すれば家に帰れると言われていると話した。「差配人さんがときどき見舞ってくれてましたからね。あたしとしちゃあ、お勢が騙されてないことを祈るしかなかったけど、まさかこんなことになるとはね。ひと月前に、ちらっと顔を見たきりになっちまいました」

がっくりと肩を落とし、充血した目をしばたたく。大部屋のほかの病人たちが、見ないふりをしながらも、ときどき、気の毒そうな視線を投げてきた。

「貧乏人は、働いて働いて、一生働くだけで生きていくんだ、特におめえはそのでっかい身体だから、まともな縁はありゃしねえ。自分で稼いでいい暮らしをするんだぞって、あっしはずっと言い聞かせてきたんですよ。それなのにね……」

「お勢だって女だよ」

「女でも、女みたいな夢見ちゃ生きていかれねえ女もいるんです」

これには、茂七もぐっとつまった。

「音次郎には腹は立たねえのかい？」

「怒ってもしょうがねえ」猪助は口の端をひん曲げて笑った。「お勢はね、あたしが音次郎さんと一緒になれば、おとっつぁんにも少しはいい暮らしをさせてあげられるようになるって言ってたんです。日銭で稼いでいくらの暮らしから抜け出せるってね。たしかに、音次郎ってひとはお店者《たなもの》だ。真面目《まじめ》に勤めてりゃ、その日暮らしのあたしらとは段違いの暮らしのできる人でしょう。お勢が分不相応の夢を見ちまったのも仕方ねえ。あっしはね親分さん、お勢が死ぬときまで、そういう楽しい夢を見ていられたなら、それはそれでいいと思います。ですから、そういうことじゃ、あいつが自分で水へ入ったんじゃなくて、いい夢見たまま殺されたってほうが、ずっと救われる。相手の男のことはどうでもいいんです。もともと、お勢が間違ったんだから」

あきらめきったような口調だった。

お勢の葬式の手配は、差配に任せてあるという。明後日《あさって》のことになりそうなので、その日は一日、ここを出してもらえそうだという。

「今夜は家に戻れねえのかい?」

「今さらそんなことして何になります? 今日帰ろうと明後日帰ろうと、お勢はもう生きかえらねえ」

養生所が帰宅を許さないというより、猪助本人が帰りたがらないのだろうと、茂七は思った。ひとり娘の死に顔を見るよりも、そこから目をそむけていたい。それほどに、猪助は弱っているのだ。

「お勢は稼いで小金《こがね》を貯めてた」と、茂七は言った。「今、それが見あたらねえ。あんたの今後のために、その金だけでも取り返してやるよ」

茂七の言葉にも、猪助は返事をしてくれなかった。ただ、頭をさげただけだった。

養生所を出て坂道を下りながら、茂七は考えた。もし、猪助が病にかからず、今もふたり一緒に元気で働いていたのなら、お勢もあんな無謀な恋に落ちこんだりはしなかったのではないか、と。父親に倒れられ、ひとり身の心細さ、日銭暮らしの先行きの危うさが急に身にしみた——そんな心の隙《すき》に、幸せの幻がすっと忍びこんできたのだ。お勢は音次郎に惚《ほ》れていたのだろうが、それと同じくらい、お店者の暮らしに憧《あこが》れていたのかもしれない。醤油《しょうゆ》を仕入れに行くたび、彼らを目の当《ま》たりに見てきたのだからなおさらだ。ああいうひとと一緒になれば、あたしだって毎日足を埃だらけにして歩きまわらなくても済むようになる。雨の日もずぶ濡《ぬ》れにならずに済む。担《かつ》ぎ売りの男みたいな格好をせずに、手代さんの、いやじきに番頭さんのおかみさんと呼ばれるようになって、肩のてんびん棒の痕《あと》も消えるだろう——と。

（お店者の暮らしだって、そういいことばっかりじゃねえよ、お勢）

身体ひとつを頼りに働いて生き抜かねばならないことは、担ぎ売りの暮らしと同じだ。いや、岡っ引きとだって似たようなものだ。みんな同じだよ、お勢。

芯《しん》から身体が冷えこんだ。坂を下り切ったところに出ていた屋台のそば屋で夕飯を済ませると、とっぷりと日の暮れた道を茂七は足を早めて東へ向かった。もうそろそろ、川崎から音次郎が戻ってもいいころだ。

(もし、逃げたのではないのなら)

逃げたのではなかった。音次郎は野崎屋に帰ってきていた。

四

野崎屋では音次郎のために座敷をひとつ空け、主人が同席して、茂七の来るのを待っていた。一緒に待っていた糸吉はそれに不服そうな顔をしていたが、茂七はかまわないと思った。そもそも、若い手代が仕入れに出入りする担ぎ屋の女に手をつけたというのは、お店の不始末でもある。一緒に油をしぼってやりたいところだ。

音次郎は歳《とし》よりも若く見える。身体つきはがっちりして背も高く、お勢が自慢していたとおり、なかなか見栄《みば》えのする男だ。ただ、場合が場合とはいえ、始終きょときょとと動き回っている彼の目は、茂七にはどうにも気に食わないものに見えた。身体のわりに華奢《きゃしゃ》な白い手をしているところも、遊び人ふうな匂いをさせている。

「お勢さんとは、半年ほどの仲になります」

あっさりと、音次郎は認めた。

「ただ、これだけは言っておきたいんですが、誘いをかけたのは私のほうじゃありません。それに私は、最初《はな》からはっきり言っていました。あんたと所帯を持つようなことにはならないよ、とね」

「そのとき限りの仲ってわけかい？」

「そういうこともあるでしょう、男と女には」きっと顔をあげて、音次郎は言った。

「そういう仲になったら、必ず所帯を持たなきゃならないなんて野暮《やぼ》なことは、親分さんだっておっしゃらないでしょう」

それだからこそ、自分はお勢の住まいに出入りしなかったのだ、会うときはいつも茶屋や船宿を使っていた、それも短い時間に――と主張する。

「あんたもお勢も、仕事の合間にぱっぱと逢《あ》いびきしてたってわけか」

「そうです」さすがに気がひけたのか、音次郎は主人を横目で盗み見た。「それでも、お店に迷惑をかけるようなことはしませんでした」

大きく吐息をついて、野崎屋の主人が口を開いた。「それは、音次郎の言うとおりです。これは仕入れのほうの係でして、表へ出なければ仕事になりませんからな。遠出もしますし、時には付き合いで金も使う。だが、手間や金をかけただけのことは必ずしてきました。うちで卸している品は、江戸じゅうでも一二《いちに》の折り紙つきの上物《じょうもの》です。それを、相場の七《なな》がけぐらいの値で仕入れている。これはみんな音次郎の手柄です」

主人の口上を聞き流して、茂七は音次郎に訊《き》いた。「さいきん、お勢にはいつ会った」

「去年の暮れです。師走《しわす》の半ばぐらいでした。勝手口のところで立ち話をしただけだったけれど」

「立ち話？」

音次郎は力をこめて言った。「私はお勢さんと別れようとしていましたからね。私は、お勢さんと深い仲になってすぐに、これは危ない女だと気づいたんですよ。あれだけ釘《くぎ》をさしておいたのに、所帯を持つ話ばっかり持ちかけてきて、何を言っても聞く耳持たない。これじゃあ別れるほかないって思いました。そのことはお勢さんにも話しました。もう会えないとね。だがあのひとはあきらめなかった。何度も私を訪ねてきたり呼び出したりしようとした。さすがに、お店で騒ぎを起こすことはしなかったけれど、あまりしつこいので私もほとほと閉口してたんです」

お勢と顔を合わせたくないので、彼女が仕入れにやってくる明け方には、目につくところにいないようにしていた、という。

「まあいい、じゃあ師走の半ばにお勢と会ったとき、あんた、藪入《やぶい》りにはおっかさんのところへ帰るから一緒に行こうなんてことを言わなかったかい?」

音次郎は冷笑した。「私がそんなことを言うわけがないでしょう」

長年の勘で、茂七は、音次郎の言っていることが嘘《うそ》ばかりであることを悟ったが、表には出さないでおいた。

「あんた、お勢のどこに惚れてた」

突然の問いに、音次郎がひるんだ。「え?」

「惚れたところがあったから深い仲になったんだろう?」

「ええ、そりゃあ」音次郎は言いにくそうに、主人や番頭たちの顔をちらちら見た。

「あのひとはあのとおり、大柄で気性もはっきりしていて、歳も私よりずっと上だし……なんだか、姉さんと一緒にいるような気分になれました。そこですかね、良かったのは。だから、あのひとからすがりつかれるなんて、私は考えてもみませんでした」

とんだ甘ったれ男だ。お勢には男を見る目がなかった。

「昨日一日、どういうふうに過ごしてた。できるだけ細かく話してくれ」

昨日は午後からずっと外へ出ていたと、音次郎は言った。「新年ですから、お得意のところへ顔を見せたり、両替屋へ寄ったり」

ひとつひとつ、場所と、そこにいた大体の時刻をあげてゆく。

「ただ、夕方――そう日の暮れるころですが、四半刻《しはんとき》（三十分）ばかり大川端をうろつきまわっていました」

「なんで」

「考えてたんですよ」と、音次郎は腹立たしげに言った。「お勢さんとのことをどうするか。明日は藪入りで、おふくろのとこへ元気な顔を見せに行かないとならない、心配をかけるわけにはいかないと思うと、余計に悩んでしまってね。あのままお勢さんにつきまとわれたら、私の将来はめちゃくちゃだ」

ずいぶんはっきり言うもんだと、茂七は驚いていた。普通、音次郎のような立場におかれたら、ちょっとでも疑いを抱かれないように、死んだ女に惚れていた自分が殺すはずはないというようなことを口にするものだ。

してみると、音次郎は本当にお勢を殺していないのか。それとも、女を殺したが、それについてはしらを切り通せる、突き止められたりしないと、よほどの自信を持っているのか。

「音次郎は、昨夜《ゆうべ》、六《む》ツ半《はん》（午後七時）にはここへ戻ってきておりました」と、主人が言った。「私のところに『ただいま戻りました』と挨拶《あいさつ》に来ましたから間違いありません」

「どうして六ツ半だとわかる」

「私の部屋には水時計があるのです。毎日、私がきちんと手入れして様子を見ていますから、けっして狂うことはありません。昨日、音次郎が戻ってきて、まもなくその時計が六ツ半をしらせました」

東永代町の源兵衛店にお勢が帰ってきたのが六ツ。そこから御船蔵前町のこの店まで、男の足で半刻《はんとき》足らずのあいだに帰りつくことができるか。

ただ行って帰ってくるだけなら、できる。が、音次郎が、源兵衛店でお勢を殺し、裸にむいた死体を掘割に沈めて、それから帰ってきたとなると話は別だ。仮に、彼女が帰ってくるのを待ち受けていてすぐに殺したとしても、あたりをはばかってしなければならないことだし、どれほど急いでも四半刻はかかったとみなければならない。死人から服を剝《は》ぐというのは、案外手間のかかることなのだ。

そうなると、音次郎は残り四半刻でここまで帰ってこなければならなかったということになる。とても無理だ。

茂七は細かいものを見るときのように目をすぼめた。「夜はどうです？」

「夜は、音次郎はずっと私どものところにいました」

主人の言葉に、音次郎もうなずく。

「今日の藪入り、休みの前です。帳簿の突き合わせだのなんだの、細かい仕事が山ほどありました。夜業《よなべ》仕事になるほどでした」

「帰ってきてすぐに皆と湯に行った。外に出たのはそれだけです。あとはずっと、お店のなかにいましたよ。誰にでもいい、訊いてみてください。確かめてくださいよ」

音次郎が言って、まっすぐに茂七を見つめた。

言われるまでもなく、それから夜更《よふ》けまでかかって、お店じゅうの奉公人たちから話を訊き、茂七は、野崎屋の主人と音次郎の言っていることに間違いがないことを確かめた。

なるほどこれかと、茂七は思った。これだから、野郎はてめえに疑いがかかっても怖くねえんだ。

今日はここまでと、茂七が野崎屋を引き上げるとき、音次郎は勝手口まで送り、床に手をついて挨拶をしてよこした。頭をあげるとき、不愉快だったやりとりを思い出したのか、ちょっとどこかが痛んだかのように顔を歪《ゆが》めた。何が痛いのか知らないが、お勢の死に心が痛んでいるわけではないことだけは確かだと、茂七は思った。

その晩――

一度は家に帰ったものの、茂七はどうにも腹が煮えてしようがなかった。酒もうまくないし、気が立ってしまって眠気もさしてこない。音次郎の小生意気な顔が目の奥でちらちらする。

何か仕掛けがあるはずだと思う。お勢を殺《や》ったのは野郎だ。だが、それがばれる気遣いはねえと自信を持っている。だからこそのあの言いっぷりだ。

六ツから六ツ半。この時刻は絶対なのだろうか？

立ったり座ったりうろうろしても、何も浮かばない。かみさんは心得たもので、こういうときの茂七にはかまわないで放っておいてくれる。先に寝てしまっているはずだ。

知恵が出なくて腹が立つ。そうしているうちに腹がすいてきてしまった。

ふと、昼間の糸吉の話を思い出したのもそのせいだった。夜っぴて開いている稲荷《いなり》寿司《ずし》の屋台か。

出掛けてみるかと、履き物を足につっかけた。頭のなかを入れ替える足しにはならなくても、腹の足しにはなるってもんだ。

五

近くまで来てみると、たしかに、真っ暗な富岡橋のあたりに、明かりがぽつりと灯《とも》っていた。淡い紅色の明かりだ。稲荷寿司の色に合わせているのだろうか。

実際には、富岡橋のたもとではなかった。橋から北へちょっとあがって右に折れた横町のとっつきだ。それを見て、茂七は思い出した。

つい半年ほど前まで、ここにはよくじいさんの二八蕎麦《にはちそば》の屋台が出ていた。この屋台もかなり宵っぱりで、閉めるのはいつも、いちばん最後だった。真《ま》っ暗闇《くらやみ》のなかに明かりがひとつ灯って、蕎麦汁《そばつゆ》の匂《にお》いがする。そういうことが何度かあった。このごろ見かけないのは、河岸《かし》をかえたのかと思っていたのだが……。

（するてえと、この稲荷寿司屋、あのじいさんの身内だろうか？）

たいていの稲荷寿司売りは、屋台といっても屋根なしで、粗末な台の上に傘をかかげただけで商いをしているものだ。その場でつくって出すわけでもなく、つくり置きしたものを並べている。

だが、この屋台は違った。ちゃんと板ぶきの屋根つきで、長い腰掛けもふたつ並んでいる。台の下で煮炊《にた》きできるようになっているのか、茂七が近づいてゆくと、そのあたりから真っ白な湯気があがるのが見えた。

ほかに客はいなかった。茂七は、屋台の向こう側にいる、なるほど茂七よりもちょっと年下くらいの、口元がむっつりした親父《おやじ》に声をかけた。

「こんばんは」

親父はちらと目をあげてこちらを見た。右手に長い箸《はし》を持ち、鍋《なべ》のなかをつついている。熱い味噌《みそ》の匂いがたちのぼった。

「稲荷寿司を三つ四つ。それと——なんだね、ここじゃ汁ものも出すのかい？」

答えた親父の声は、茂七が思っていたよりもずっと張りがあり、どこか重厚な響きさえあった。「酒はございませんが、寒い夜ですので、蕪汁《かぶらじる》とすいとん汁がありますが」

すいとん汁は、葛粉《くずこ》を練ってこさえた団子をうどん汁で食べるもの。蕪汁は、旬《しゅん》の蕪を使った味噌汁だ。茂七のかみさんは、これに賽《さい》の目《め》に切った豆腐をいれる。

「蕪汁なら大好物だ。もらおうか」

へい、と低く返事をして、親父は脇《わき》からどんぶりを取り上げた。また鍋のふたを開ける。しばらくのあいだその手付きを見守ってから、茂七はゆっくりと言った。

「親父、このへんじゃ見かけない顔だね」

「店開きしたばかりでございますから」

「それにしちゃ遅くまでやってる」

親父は顔をあげ、湯気の向こうで薄い笑みを浮かべた。「私の住まいはこのすぐ近くです。どうせ帰っても独り者ですからすることがない。それなら、できるだけ遅くまで商いしようと」

「寒いだろうに。それに、商いになるかい？　客がいねえだろう」

「いますよ。今夜だって旦那《だんな》が見えたじゃないですか」

「ひとりふたりじゃあがったりだ」

「昼間も出ておりますから」

へい、お待たせしましたと言いながら、おおぶりのどんぶりに箸をそえたものと、小ぶりの艶《つや》のいい稲荷寿司ののった皿が出てきた。

まず、蕪汁をひと口すすり、茂七は思わず「ほう」と声をあげた。「こいつはうめえ」

茂七が食べつけているものとは違い、ここの蕪汁は、小さい蕪を丸ごと使っていた。

蕪の葉を少し散らしてあるだけで、ほかには具が入っていない。味噌は味も濃い色も濃い赤だしで、独特の、ちょっと焦《こ》げ臭いような風味があったが、淡泊な蕪の味に、それがよく合っていた。

「かかあがこさえるのとは違うな。こいつはあんたの故郷《くに》のやりかたかい？」

親父は微笑した。「見よう見まねで」

「そうかい、浜町《はまちょう》あたりの料亭でも、なかなかこれだけのものは食わせねえよ」

稲荷寿司も、下手な屋台で売っている醤油《しょうゆ》で煮しめた油揚げに冷や飯を包んだような代物《しろもの》ではなく、ほんのり甘みのある味付けに、固めに炊いた飯の酢がつんときいている。たちまち四つ平らげて、茂七はかわりを頼んだ。

「以前、ここにはじいさんの二八蕎麦屋が出ていた。あんた知ってるかい？」

「存じています」台の下の七輪《しちりん》から炭火をいくつか拾いだし別の火鉢に移しながら、親父が答えた。「私はあのそば屋からここの場所を譲ってもらったんでして」

「へえ」そうだったのか。「で、じいさんは」

「多少、身体《からだ》がきかなくなったとかで、材木町《ざいもくちょう》のほうで隠居しているそうですよ」

「そんな優雅な暮らしができるのは、あんたがこの場所を高く買ってやったからかな」

親父はお愛想にほほえんだが、口は開かなかった。

「梶屋《かじや》の連中とはどう話をつけたね」

親父は動じなかった。「みなさんと同じように」

「ふっかけられたろう」

「そうでもございませんよ」

落ち着いた物腰、話しかた。この親父、もともと、末は屋台の親父になります、それであがりですというような生まれではないようだ。おかわりの稲荷寿司を口に放りこみながら、茂七は考えた。

この親父の、ほんの少し、右肩が上がり気味の姿勢。

（これは――）

つと目をやると、明かりに照らされた親父の頭の月代《さかやき》の、肌のきめが粗いことにも気がついた。

「親父、あんた、もとはお武家さんだね」

茂七がそう言ったとき、それまでなにがしかやることを見つけて手を動かしていた親父が、ぴたりと止まった。

「いや、いいんだ、詮索《せんさく》しようというわけじゃねえ」茂七は急いで、そして笑顔をつくって言った。

「なぜおわかりですか」

静かに、親父は問い返してきた。

「二本差しを差してたお侍さんは、どうしても右の肩が上がり気味になるんだよ。それとあんたの頭。その月代な。毛穴の痕《あと》が見える。素《す》っ町人《ちょうにん》なら、よほどの長患《ながわずら》いでもしたあとでないとそんなふうにはならねえ。ずっと剃《そ》ってるからな。だがあんたの頭は、しばらく月代を剃らずにいて、久しぶりに剃刀《かみそり》をあててまだふた月ばかりですってなふうに見える。つまり、あんたは浪人なすってた。で、刀を捨てて町人になった。違うかい？」

親父は手をあげて月代をさすった。感心したような顔をしている。「おっしゃるとおりですよ、旦那」

「早くつるつるに戻したかったら、糠袋《ぬかぶくろ》でこするといい」

「やってみましょう」

ごくおとなしく、折り目正しい親父であった。だから茂七も、今夜はそれ以上突っこんで訊《き》くことはやめた。

おいおい、この親父についてわかってくることも多いだろう。もとは侍で、梶屋の勝蔵が小便ちびりそうな顔をするような男。そんな男が、どうして稲荷寿司の屋台なぞ出しているのか。

（これは探り甲斐《がい》がありそうだ）

寒風をついて出てきてよかった。それに、実に旨《うま》い寿司と蕪汁だ。

「汁ものおかわりもほしいんだが」笑顔で、茂七は言った。「そっちのすいとんも旨そうだ。でも、蕪汁のこの味噌味はおつだねえ。どっちにしようかね」

「この味噌味がお好みなら、蕪の代わりにすいとんを落としてお出ししましょうか」

「そんなことができるのかい？　いいねえ」

親父はどんぶりに蕪汁の味噌汁だけすくい、そこにやわらかいすいとんをいくつか落とした。ついで、蕪汁のなかから蕪の葉だけつまみだし、飾りにのせる。

どんぶりを手に、茂七は嬉《うれ》しくなった。

「こいつは旨い。俺はすいとんが好きでね。どうかすると、米の飯より好きなくらいだ」

熱い汁をすすり、はふはふ言いながらすいとんを口に運ぶ。

「しかし、こういうのも面白い。うどんだしじゃなくて、味噌仕立てのすいとんか。けど、ぱっと見た限りじゃ、これも蕪汁に見えるな」

「丸い白いものが浮いてるだけですからね」と、親父も言った。「味わってみないと、蕪に見えるかもしれません。たいていの人は、すいとんはうどんだしのなかに浮いてるものと思っているから」

「そうだな。外見《そとみ》でそう決めちまうだろうな」

そう言ったとき、茂七の頭のなかで、何かがはじけた。

外見で決めてしまう。すいとんはうどんだし。味噌のなかに浮いているなら蕪だと。

茂七は、あんぐりと口を開けた。

朝いちばんで、茂七は権三と糸吉を連れ、野崎屋に走った。

「いいか、音次郎がはむかってきたら、押さえ付けてでもひんむいちまえ」

「合点《がってん》です」

朝の早い醬油問屋でも、起き抜けのこの訪問には驚いたらしい。主人が目をむいて出てきた。

「何事でございます、親分」

「ちょいと音次郎に会わせておくんな」

当の音次郎も、洗いたての顔をいぶかしげに歪めて、いかにも迷惑そうにやってきた。

「座敷にあがることはねえ。ここでいいんだ」勝手口のあがりかまちのところで、茂七は音次郎を手招きした。「これが済んだら、もうおめえには迷惑はかけないよ。ちょっとのことだ」

「なんです？」

「着物の襟をめくって、右肩を見せておくんな。昨日、おめえ、ここで俺を見送るとき、どこかが痛いような顔をしてたよな。あのときは気にならなかったんだが、昨夜《ゆうべ》稲荷寿司食ったら気になってきてな」

妙な申し出だと目をぱちくりしている主人のそばで、音次郎は目に見えて青ざめた。あとで糸吉が、「顔から血の気の引く音が聞こえたようでしたよ」と言ったくらいだ。

音次郎はためらった。言い抜けしようとしたのだろう。が、糸吉のほうが早かった。「ごめんよ」と言うが早いか音次郎の背中にまわり、着物の襟に手をかけた。

それで音次郎の分別の糸が切れた。彼は泡を食って逃げ出そうとした。そうなれば牛の権三の出番だ。この男は、ただ鈍重だから牛と呼ばれているだけでなく、捕り物となったら下手人を押し潰《つぶ》してでも逃がさないだけの体重をもっているのである。

茂七は、音次郎の洒落《しゃれ》た縞《しま》の着物をひんむいた。右肩の白い肌の上に、細長く擦りむけたような赤い痣《あざ》がくっきりと残っている。

「これをごらん、野崎屋さんよ」と、茂七は言った。「音次郎、ご苦労だったな。てんびん棒かつぎで、肩の皮がすりむけたか。てめえも、少しは力仕事に慣れておけば、ここぞってときにこんなことにはならなかったのにな」

茂七が考えた絵解きは、ごく単純なものだった。

「お勢はあの日の夕方、たぶん六ツよりは少し前に、音次郎にどこかの船宿に呼び出され、そこで殺されたんだ。大川へつながる掘割に面した、ひと目につかない船宿、金をつかませれば、多少の怪しいことには目をつぶってくれる船宿だ。音次郎が吐かなくても、探せば、そう手間もくわずに見つかるだろう」

お勢はそこで、背後から音次郎に腕で首を絞められて殺された。こういうやりかただと、絞めた痕が残らない。

そして、裸にむかれた。音次郎は、船宿の近くでお勢の裸の死体を川に捨て、それからお勢の着物を着、商い道具を担《かつ》いで源兵衛店に行った——

「音次郎がお勢の格好をして？」

「そうさ。そのために裸にしたんだ」

「じゃ、向かいの師匠が六ツに見かけたのはお勢じゃなくて……」

「音次郎だったんだよ。お勢は大女だった。音次郎が彼女の格好をしても、遠目じゃあわかるまい。しかも、醤油売りは独特の格好をして、頭には頭巾《ずきん》までかぶる。男髷《おとこまげ》と女髷《おんなまげ》の違いを隠すことができる。見掛けたほうは『あ、醤油売りだ』と思うし、そういう醤油売りがお勢の部屋の戸口を開けて入ってゆくところを見たら、『ああお勢ちゃんが帰ってきた』と思っちまう」

たとえそれがすいとんであっても、味噌汁のなかに浮かんでいたら、食べずに見ているだけの者は、「ああ、蕪汁だな」と思いこんでしまう。それと同じだ。

「危ない橋だが、渡る甲斐はあった。もともと、お勢の貯《た》めた小金《こがね》を持ち出すためにはお勢の部屋をあさる必要があった。なにより、これがうまくいけば、音次郎は、羽根でも生えてねえ限り、自分には、お勢を殺して四半刻《しはんとき》以内に野崎屋に帰ることはできないと言い張ることができる。お勢の商いのなりをしているとき、源兵衛店の誰かと、まともに顔を合わせないように気をつけていればいいんだ。そんなに難しいことじゃねえ。こんなふうに寒い時期だ。あっちこっちで戸口や窓が開いてるわけもねえ。かみさんたちも、さすがに寒くて井戸端の長話もしねえだろう」

そうして、ただひとり、いつもお勢と前後して六ツの鐘が鳴るころに源兵衛店に帰ってくる新内節《しんないぶし》の師匠だけに、お勢のいでたちを見せておきさえすればいい。

「音次郎にとっては、あの師匠に、醬油売りのいでたちを見せることが肝心だった。

そして、それもうまくいった」

あとは素早く着替え、お勢の部屋をあさって金を奪い、野崎屋へと走るだけだ。着替えはあらかじめ、樽《たる》のなかへ隠して持っていったのだろう。

「え？　だけどそれじゃ、着替えが醬油で濡《ぬ》れちまうでしょうが」

糸吉は驚いた声を出したが、茂七は笑った。「あの野郎が、醬油でいっぱいの樽をしょって、殺しのあった船宿から源兵衛店まで行けるわけがねえ。お勢の死体を捨てるときに、一緒に醬油も川へ流しちまったとさ」

権三が呆《あき》れた。「なんだ、じゃあ野郎は空の樽ふたつかついだだけで、肩に痣をこさえたんですか」

「まあ、お店者《たなもの》のなかにはそういうのもいるさ。力仕事には向いてねえのよ」

お調べに、音次郎は泣いて白状し、川崎の母親にだけはこのことを報《しら》せないでくれと頼んだという。

「私が一人前の商人《あきんど》になることだけが、おっかさんの楽しみなんですから」

お勢が仕立てた着物も、金と一緒に盗んだ。着物のほうは、川崎に帰ったとき、同じように藪入《やぶい》りで宿下がりしてきていた幼馴染《おさななじ》みの娘にくれてやったという。

今度のことを思いつくには、それほど頭は使わなかったという。お勢は、音次郎が何も訊かなくても勝手に自分の暮らしぶりのことをしゃべって喜んでいたので、新内節の師匠のことや、お勢の暮らしの大体の時間割については、以前から知っていたという。

「だけど、藪入りのとき私について私のおっかさんに会いにゆく、嫁として挨拶《あいさつ》するんだなんて、お勢があんなことを言い出しさえしなければ、私もこんなことはしませんでした。おっかさんには、死んでもお勢を会わせるわけにはいかなかった。あんな女が私の嫁になるだなんて、おっかさんの夢を壊してしまいます」

音次郎の話を聞いて、茂七はふと、古い句を思い出した。

——藪入りや母に言わねばならぬこと

お勢殺しが片付いたあと、茂七は、今度はかみさんを連れて、またあの屋台を訪ねた。最初のときよりは早い時刻だったのだが、驚いたことに長い腰掛けはふたつとも一杯だった。茂七とかみさんは、立ったまま稲荷寿司《いなりずし》にかぶりつき、熱い蕪汁《かぶらじる》をすすった。蕪が旬《しゅん》のあいだは、椀物《わんもの》にはずっとこれを出すというから楽しみだ。

それにもうひとつ、この親父《おやじ》の正体を探るという楽しみもある。
（まあ、のんびりやるさ）蕪汁をすすりながら、茂七は心のなかで独りごちた。

白魚の目

一

二月の末、江戸の町に春の大雪が降った。過ぎたばかりの冬のあいだも、ことのほか雪の多い年だったので、誰もそれほど驚かず、また珍しがりもしなかったが、そこここで咲く梅の花にとっては迷惑なことだった。

雪が降り始めたのは昼過ぎのことで、そのころちょうど、回向院《えこういん》の茂七《もしち》は下っ引きの糸吉《いときち》を連れて、大川端《おおかわばた》にさしかかったところだった。御用の向きで八丁堀《はっちょうぼり》の旦那《だんな》のところを訪ね、深川《ふかがわ》へ帰る途中だったのである。

永代橋《えいたいばし》の上でふたりは立ち止まり、申し合わせたように橋の欄干に肘《ひじ》を乗せて、川面《かわも》をすかし、佃島《つくだじま》のほうをながめた。凍ったように凪《な》いだ川の上に、数えきれないほどの雪片が舞い落ちては消えてゆく。

降り始めの雪はにぎやかだ。下にいる人々が、頭上を見あげては「おや、雪だ」「あら雪だよ」などと声をあげて迎えるので、雪のほうも嬉《うれ》しいのかもしれない。しんしんと音もなく——というふうになるのは、もっとたくさん降りつもってからのことである。

手の甲を空に向けて雪片を受け止め、茂七はひょいと思った。降り始めの雪は、雪の子供なのかもしれねえ。子供ってのは、どこへ行くにも黙って行くってことがねえから。やーいとか、わーいとか騒ぎながら降り落ちてくる。そうして、あとからゆっくりと大人の雪が追いついてくる——

そんなことを考えたのは、今しがたまで旦那から聞かされていた話のことが頭にあったからかもしれない。

このところ、大川から東側の町のほうぼうで、道端で暮らす子供らの姿を見かけることが多くなった。それを放っておくわけにもいくまいということで、いろいろと話を持ちかけられていたのである。

そういう子供の数は近ごろ急に増えたというわけではなく、以前からだんだんに増え始めていた。岡っ引きである茂七の目には、旦那がたが気にし始めるよりもはるかに以前から、その子たちの姿は気にかかるものとして映ってきた。

子供たちがどこからやってくるものなのか、茂七にもよくわからない。彼らの大半は親無し子だ。あるいは親がいても、彼らを育て守るだけの力がないか、かえって彼らのためにならない親であるかのどっちかだ。それだから彼らは家を出て、仲間同士寄り集まり、自力で暮らすようになる。もの乞《ご》いをしたり、薪割《まきわ》りや水汲《く》みなどの半端《はんぱ》仕事をしたりしてどうにかこうにか日銭を稼ぐ者もあり、かっぱらいや掏摸《すり》まがいのことをして糊口《ここう》をしのぐ者もいる。夜は神社の境内、お寺の軒下などにもぐりこんで過ごす。空いている長屋のひと部屋に、勝手に住み着いていたりして、ぼんくらな差配人をびっくりさせることもある。

茂七としても、そういう子供らを、どうにも扱いかねていた。ひとりふたりならどうにかなる。茂七のところへ引き取って、見込みがありそうなら下っ引きとして鍛えたり、しかるべき奉公先を探してやることだってできる。だが、昨日はあっちで三人、今日はこっちで二人など、ひんぴんと見かけるようになっては、どこから手をつけていいのかわからなくなってしまうのだ。だいいち、そういう子供らは、近づいてくる大人を見つけると、とたんに、呆《あき》れるような速さで逃げ出してしまう。

茂七が、折々に、日本橋通町《とおりちょう》や神田近辺を仕切る岡っ引きたちにあたってみたかぎりでは、大川を渡った向こう側では、まだそれほど、子供らのことを気にしてはいないようだ。大店《おおだな》や武家屋敷の多いところでは、木戸番も自身番もうるさいし、町そのものの目も厳しいので、彼らも住み着きにくいのだろう。昼のうちは川のあっちとこっちを行き来して稼いでいても、日が暮れるとこっちへ帰ってくるというところだろうか。

そうしていよいよ、奉行所の本所深川方《ほんじょふかがわがた》の旦那がたが、彼らのことを気にし始めたというわけだ。

さすがの旦那がたも、子供相手に手荒な真似《まね》はできないという話だった。さりとて、彼らをひとところに集め、身の振り方が決まるまで養い育ててやることができるような余分な金は、御番所《ごばんしょ》には一文だってない。そこで相談ということになったのだ。

本所深川方の旦那の家に呼び集められたのは、茂七だけではなかった。大川からこっちの主立った岡っ引き連中のうち、こういう話に乗ってきそうな顔触れが、みな集められていた。話が始まると、それらの親分連中は、そろっと顔を見合わせてうなずきあった。なるほど、こういうことだから、俺たちを集めたってぇわけかい。

旦那がたは、本所深川一帯の裕福な商人、地主連《じぬしれん》、町役人たちから一定の額の寄付を集めて、その日暮らしの子供らのためのお救い小屋をつくろうと考えているのだった。金がどこまで続くかはわからないし、どれぐらいの数の町役人たちがうんと言ってくれるかもわからない。が、とりあえず急場しのぎにでも、ああいう子供らに屋根と着物と食い物を与えてやるには、それしかないというのである。むろん、本所方のほうからも相応の口添えはするから、と。

集められた岡っ引きたちは、それぞれにその縄張《しま》の町役人たちから信頼されており、こういう話をもってゆくにはうってつけという面々ばかりだった。そして彼らの顔には一様に、やっぱりそれしか手がねえだろうという表情が浮かんでいた。闇雲《やみくも》にやつらを追い払えなどと言いつけられるより、はるかにいい。同時に、いろいろと役得の多い本所深川方の旦那がたからも、いくらか寄付を出してもらわねえことにはなというう顔もしていた。お上というところには、出すのは舌を出すのも嫌だというお人が多い。案外、町役人たちを説きつけるより、こっちのほうが難物かもしれない。

それでもなんでも、寺の軒下でむしろをかぶって震えながらくっつきあって夜を過ごす子供らにとっては、これは吉報だと言える。集められた岡っ引きたちは一様にうなずきあって、八丁堀をあとにしてきた——という次第だ。

雪はどんどん降り落ちてくる。茂七はぼんやりしたもの想《おも》いから覚め、こんな具合じゃ、一日も早くお救い小屋をつくってやらねえとなと思った。この春は気まぐれだ。梅の花を台無しにしただけじゃ気が済まず、桜のころにもやってくるかもしれない。取りかかるのは早いほうがいい。

糸吉を促そうとして首を返すと、彼はまだ遠くを見るような目をして佃島のほうをながめていた。

「おい、行くぜ」と声をかける。糸吉は、ほうっとため息をもらしながら欄干から肘をあげた。

「これで、今夜の白魚漁は一日休みですねえ」と言った。

この時期、大川下流の佃島近辺では、白魚漁が盛んに行われているのだ。毎夜、暗い川面に無数のろうそくを灯《とも》したような漁火《いさりび》が輝き、大勢の漁師たちが、四《よ》ツ手網《であみ》を投げて白魚を獲《と》る。

「そいつはどうかな。白魚の旬《しゅん》は短《みじけ》えから、このくらいの雪じゃ漁は休まねえだろう」

糸吉は鼻の頭に雪をくっつけて、頭上を見あげた。

「たくさん降るなあ。こういう春の雪の粒がみいんな川へ落ちて、海に流れて、一晩たつと白魚になるんですよ、親分」

茂七はほうと言った。「おめえにしちゃあ洒落《しゃれ》た文句を考えたもんじゃねえか」

そういえば、糸吉は白魚を食わない。茂七もかみさんも、もうひとりの下っ引きの権三《ごんぞう》も、獲れたての白魚の生きてぴちぴちしたのに二杯酢をかけてつるりと呑《の》み込むようにして食うのが好きなのだが、糸吉だけは違っていた。

「なにかい、おめえはそんな洒落たことを考えちまうんで、白魚を食えねえのかい」

茂七の問いに、糸吉は照れて首を振った。

「そんなんじゃありませんよ。あっしはただ、あのちっこい真っ黒な目を見ちまうと食えなくなるってだけです。やつら、点々みたいな目をしてるでしょう。あの目で二杯酢のなかからこっちを見あげられると、箸《はし》をつけられなくなっちまう」

茂七は笑った。「存外、肝っ玉が小さいんだな。あんなのは、生きてる魚を食ってるんじゃねえよ。春を呑んでるんだ」

「よくそう言いますね。けど、あっしは駄目だ。どうしても駄目だなあ」

それから半月ほどして、夕飯に添えられた小鉢のなかにぴちぴち動く白魚を見つけたとき、茂七はふと、糸吉とのそんなやりとりを思い出した。

「おや、これをどうしたい？」と、かみさんにきいた。

「魚寅《うおとら》の政《まさ》さんが持ってきてくれたんですよ。そろそろ旬も終わりだからって」

さすがの大雪もあとかたなくとけて消え、江戸の町の隅々まで春の息吹《いぶき》がゆきわたっている。朝から夕暮れどきまで、例の寄付を求めてあちこちの町役人たちを訪ねまわり、商人を説き伏せることを続けている茂七にとっては、有り難いことだ。また、お救い小屋ができるまでは道端での暮らしを余儀なくされている子供らにとっても。

寄付集めは、思っていたよりも難航していた。

たしかに、本所深川の商人たちや町役人たちにしてみれば、何もああいう子供らがここらの堀や運河からわいて出てきたわけじゃなし、どうして我々が負担しなければならないのだと思うところだろう。それには一理も二理もある。

だから茂七は、もっぱら彼らの情にうったえた。理や利を前に出して成り立つ話ではない。幸いここらには、その身一代で身代《しんだい》を築いたというような苦労人の商人が多い。それに、木場《きば》の材木問屋などはお店同士の横の繋《つな》がりが強いので、取りまとめ役のひとりに話をつければ、横滑りに皆が賛同してくれるということもある。

しかし、商人を口説いて利につながらぬ金を出させるというのは、尼さんを口説き落とすよりも骨の折れることだ。旦那衆の出した金で救われる子供らが将来一本立ちすれば、みんな客になってくれて、出した金が返ってくる、そういうのが生き金を使うっていうことじゃねえかなどという、気の長いたとえまで引いてくる始末だ。

古石場《ふるいしば》のある材木問屋の主人などは、金は出せないが、そういう道端の子供たちを何人か引き取ろうと言ってきた。うちで奉公させて仕込んで、一人前の川並《かわなみ》にして使うというのだ。茂七は、それはたいへん結構な話だが、そういう役に立ちそうな子供を引き抜くには、まず、あっちこっちに散らばって隠れ住み、盗み食いやかっぱらいもどきの後ろ暗いことをしている子供たちを、罰をくらわしたりしないから安心しろと説きつけて、ひとところに集めなくちゃならない、それにはやっぱり先におあしがいるんだと、繰り返し頼み込んだ。するとその主人は渋面《じゅうめん》のまま、そんならうちは、親分さんたちが子供らを集めたところから話に乗ろうと言い出した。こういうのをご、い、い、うつくばりと呼ぶのである。

だが、逆に、芯《しん》から嬉しい返事を聞くこともないではない。海辺大工町《うみべだいくちょう》の勝吉《かつきち》という棟梁《とうりょう》は、自分のところの材木置き場の隅を空け、すぐにも平屋をひとつ建てようと言ってくれた。そこに子供たちが集められてきたら、入り用なだけの炊《た》き出しもしよう、という。茂七は、勝吉の頭に後光がさして見えた。

勝吉は多くを語らなかったが、どうやら自分も子供のころ、誰かにそういう恩を受けたことがあるようだった。まことに、人というのは、貧《ひん》の苦労を一度は味わってみるものだと、茂七はしみじみ考えた。

頑固に寄付を出そうとしない連中には、一度、ああいう道端の子供らがいったいどんな暮らしをしているものか、首ったまをつかまえて連れていって見せてやるのも手かもしれねえ、そうやって目の当《ま》たりに、ああいう子供らがどれほどひどいところにいるかをわからせないと、金曇《かねぐも》りの目にかかったもやの晴れねえ連中だ――などと茂七が思案しているところに、とんでもないことが起こった。

二

亀久橋《かめひさばし》の近く、冬木町《ふゆきちょう》の俗にいう「寺裏《てらうら》」に、小さなお稲荷《いなり》さんがある。ここのお狐《きつね》さんの顔が怖いというので、茂七の姪《めい》が小さかったころ、通りかかるといつも泣いて嫌がった。本所深川一帯にはそれこそ無数のお稲荷さんがあるのに、どうしてここのだけそんなに怖いと思うのか、いまだに不思議で仕方がない。が、それはあながち姪ひとりの気分だけのものではなかったようで、近隣の住人たちも、ここのお狐さんを恐れており、夜など、間違っても近づかないという。

道端で暮らす家のない子供らは、敏感にそのあたりのことを察したようだ。去年の秋ごろから、おおよそ四、五人の、下は七つぐらいから上は十四、五ぐらいの子供たちが、夜になるとここをねぐらとするようになったという。そのなかには十《とお》くらいの歳《とし》の女の子もひとり混じっており、その子の着ている色あせた赤い着物を見て、お狐さんが化けたと騒いだ酔っ払いも出たそうだ。

家のないその子らにとっては、この怖いお稲荷さんは居心地満点のところだったようだ。隣の蛤町《はまぐりちょう》や冬木町、大和町《やまとちょう》などに暮らす町人たちは、この怖いお稲荷さんをなだめるため、交替で掃除をしたり、稲荷寿司《いなりずし》だの握り飯だの、時には大福餅《だいふくもち》などをお供物《そなえもの》にあげてゆく。むろんそれは昼間のうちのことなので、子供らは出稼ぎに出ている。で、日が暮れてからここへ戻ってきて、お狐さんの上前をはねてそれらのお供物をちょうだいすることができるというわけだ。今日一日の飯をどうするかということがいちばんの心配のたねである子供らにとっては、これほど有り難い話はないだろう。周囲に町屋の立て込んでいるところだから、鳥居のなかに入ってしまえば風も当たらない。

近隣の住人たちは、鳥居の内側に子供らの顔を見かけると、そんなことをしとるとお稲荷さんの罰があたるぞとか、お狐さんに憑《つ》かれるぞなどと叱《しか》って威《おど》していたようだが、踏み込むのが怖いのと、関わると面倒だとも思ったのか、それ以上のことはしていなかったらしい。子供らのほうも心得たもので、無用に周囲を刺激するようなことはせずひっそり隠れていたものだから、それで済んできたのだろう。

その寺裏のお稲荷さんで、ざっと五人ばかりの子供らが倒れている――と知らせてきたのは、いつもながら早耳の糸吉だった。

「あのへんじゃえらい騒ぎです。いよいよお稲荷さんの罰があたったんだって」

茂七は履き物をつっかけて飛び出した。

寺裏のお稲荷さんの鳥居のまわりには、二重三重の人垣ができていた。女たちは袖《そで》で顔や口元を覆《おお》っている。誰もが目を見張ったり、目を閉じて念仏を唱えたりしていた。

「医者は呼んだか」と怒鳴ると、誰かが答えた。「高橋《たかばし》の良庵《りょうあん》先生を」

人垣を破って前へ出たとき、茂七も瞬時、息がとまるような思いをした。せいぜい一坪ほどの広さのお稲荷さんの境内に、五人の子供が折り重なるようにして倒れていた。彼らのまわりには、吐いたものの放つすえたような臭《にお》いが立ちこめていた。

みなこの季節に袷《あわせ》一枚の格好、しかもその袷はつぎはぎだらけだ。裸足《はだし》の足に、泥がこびりついている。以前に聞いていたとおり、女の子がひとり混じっている。その子がいちばん手前に倒れていた。よくよく顔を近づけてみるとかろうじて牡丹《ぼたん》の柄だとわかる赤い着物を着て、髪には薄汚れた櫛《くし》をさしていた。

茂七は手早くその女の子の脈を診た。茂七の手首の半分ほどの太さもないその手首の皮膚は冷たく、なんの動きも感じられなかった。

次の子、その次の子と、手首を握ってたしかめてゆく。いちばん年長らしい男の子。顔にひどい切り傷の治った痕《あと》のある十二歳くらいの男の子、ひょっとすると兄弟なのか、その子と手を握りあって倒れている七歳くらいの男の子。みな駄目だ。冷たくなっている。が、最後に握った、縞《しま》の元禄《げんろく》を着た十ぐらいの男の子の手首には、まだかろうじて脈があった。

「この子は生きてる！」

茂七が抱きあげ顔を上に向けさせると、子供のまぶたがほんの少し動いた。白目をむいた目が見えた。息遣いは浅く速く、小鼻がぴくぴく震えている。

「おい坊ず、坊ずしっかりしろ、おい！」

声をはりあげて呼びかけると、子供のまぶたがまた動いた。半目になり、うわずっていた瞳《ひとみ》がほんのつかのま白目の真ん中に戻って、茂七を認めた。

「坊ずがんばれ、今お医者の先生がくるからな」

抱き支えてそう話しかけてやる。子供はそれが聞こえたのか聞こえないのか、口を開いて何か言おうとする。耳をくっつけると、息を吸ったり吐いたりする音にまぎれて、ほんのかすかな声を聞き取ることができた。

「……ごめんしてね、ごめんしてね」

そう言っていた。

おそらく、食い物を盗んでつかまりそうになったり、ここにたむろしているところを大人に叱り飛ばされたりするたびに、この子はそう言ってきたのだろう。向かってくる大人を見るたびに、そう言ってきたのだろう。

目の奥が熱くなってきそうなのをこらえて、茂七は静かにその子をゆすってやった。

「心配するな、誰も怒りゃしねえ。今先生が診てくださるからな」

子供の半目が閉じた。もうゆすぶっても返事をしてくれなかった。口元に耳をつけてみる。息が絶えていた。

茂七はゆっくりとあたりを見回した。お稲荷さんのこぢんまりした社の手前に、小さな燭台《しょくだい》とお供物の入れ物だろう、白い皿がぽつんと乗せられていた。

茂七は、腕のなかの子の手を握ってみた。てのひらをさぐると、わずかにべたべたしたような感触が残った。

もう一度、白い皿のほうへ目をやった。その皿に、醤油色《しょうゆいろ》のものがくっついているのが見えた。

三

子供らの骸《むくろ》は、本人からのたっての申し出を受けて、海辺大工町の勝吉のところに運びこまれた。そこで湯灌《ゆかん》をし、ささやかな葬式も出すと、勝吉はいう。

「間に合いませんでしたね、親分」

勝吉は肩を落として言い、隣で勝吉のかみさんが、むごいよ……と呟《つぶや》きながら目を真っ赤に泣きはらしていた。

普段なら、冬木町で起こったことの後始末は、ここを仕切る町役人の手に任される。が、今度ばかりはそうはいかないので、勝吉の好意は有り難いものだった。

寺裏のお稲荷さんの子供らに何があったのかは、火を見るより明らかなことだった。それは、往診に出ていたとかであわてて駆けつけてきた良庵という医師の言《げん》を待つまでもなく、茂七にはわかりすぎるほどに明白なことだった。

昨日、まだこの子らが町へ食いぶちを稼ぎに出ているうちに、何者かがこのお社に、稲荷寿司をいくつか持ってきたのだ。そしてお供物として捧《ささ》げておいた。

そのなかに、毒がしこまれていた。

「石見銀山《いわみぎんざん》ですね」

ねずみ取りの猛毒である。そのことは、良庵に言われるまでもなく、子供らのまわりに漂っている臭《にお》いをかいだだけで、茂七にも見当がついた。

毒入り稲荷寿司を持ってきた者が、ここの怖いお狐さんを退治しようなどと考えていたわけはない。この子たちがここをねぐらにしており、お供物をあげておけば必ず食べるだろうことを知っていて、そうしたのだ。そしてはらわたが煮えくり返ることに、その企ては首尾よくいった。

五人の子供らの手は、みんな少しばかりべとべとしていた。地面の上には油揚げの破片や飯粒がいっぱい落ちていた。

この子らは、きっと仲よく助けあって暮らしていたのだろう。もしも、先に帰ってきた者が、あるいは力の強い者が、よりたくさんの稲荷寿司を食べるというようなことだったら、食べ損ねた子供は命を拾ったはずだ。だが、彼らはそうではなかった。いくつだったか定かではないが、皿の大きさからしてそうたくさんはなかったであろう稲荷寿司を、仲よくわけあって、みんなで揃《そろ》って食べたのだ。だから、ひとりも残らなかった。

運悪く、昨夜は春の嵐《あらし》が吹き荒れた夜だった。窓を叩《たた》く風の音にまぎれて、子供らの苦しげなうめき声や、助けを呼んだであろう声を聞きつけた者はいなかった。

いや——と、茂七は考える。あるいは、それを聞いていて、それが聞こえてくるのを知っていて、知らぬふりをしていた者もいたかもしれない。

このことで、真っ先に疑いの目を向けられるのは、このお稲荷さんに詣《もう》でていた、近隣の町の住人たちだ。だから、ここの町役人には、何があっても手を借りることはできなかった。

取り調べは峻烈《しゅんれつ》をきわめた。

茂七はむろんのこと、この件を扱うことになった本所深川方の同心も、頭から湯気が出るほど腹を立てていたからだ。この旦那《だんな》は、子供らのためのお救い小屋をつくるという件に、いちばん熱心な人でもあった。

「情けない、俺は情けないぞ、茂七」

自身番のなかで地面を踏みならして、旦那はわめいたものだ。

「いつから、この町の人間はこんな非道なことをできるようになった。いつから、こんな犬畜生でもやらないことをするようになった。教えてくれ、茂七」

この旦那は、名を加納新之介《かのうしんのすけ》という。歳はまだ二十三、四。去年の暮れ、茂七がその手札《てふだ》を受けていた、本所深川方のなかではいちばんの古株だった伊藤という年配の同心が病で急死し、急遽《きゅうきょ》そのあとにまわされてきた若者だった。茂七も、まだ馴染《なじ》みは薄い。

加納の旦那が怒るのはよくわかるし、怒る旦那であってくれて嬉《うれ》しいと思ったが、反面、五人の子供が一度に殺されるというとんでもない事件を、まだ経験の浅い同心ひとりに任せてすましているというやりかたには呆《あき》れた。本音を言えば、本所深川方の旦那がた――いや、御番所そのものが、家のない子供らのことなど、あまり本気で考えたくはないのだろう。ただ、あまりにむさ苦しいし、いろいろと苦情なども出てくるので、寄付を出させて――つまりは人のふんどしで相撲をとって――お救い小屋を建てることでお茶を濁そうとしていただけだったのだろう。それを思うと、気が重くなった。

それに、お調べが続くにつれて、この近隣の者たちのなかには、これほど酷《むご》いことをやって平気な顔をしていられるようなタマはいないようだ――とわかってきた。

茂七は当初、頭の半分ほどで、もしかすると毒入り稲荷寿司を持ってきた者は、子供らを殺すつもりはなかったのではないか、と思っていた。ちょっと具合を悪くさせて子供らを震えあがらせ、それで追っ払おうと思った――ということだったのではないかと。もしそうなら、結果がこんなおおごとになって、誰よりも震えあがっているのは当の本人のはずだ。それなら、ちょっとつつくだけで容易に見つけることができるだろう。

だが、ことの子細がわかってくると、そんな優しい考え方は見込みちがいだと思えてきた。

良庵は、毒入りの稲荷寿司は、よほどよく考えてつくられたものだろうと言う。子供らの吐いたものなどを調べてみると、毒の匙加減《さじかげん》が、ちょうど子供ひとりを害するのに適切な量だったように思われるというのだ。

「なにぶんにも、もとの稲荷寿司が残っていないのでしかとはわかりません。が、石見銀山は、身体《からだ》のなかに入ればすぐに効いてくるものです。苦みもある。たくさん入れ過ぎれば、いくら子供だって、嚙《か》んだとたんにこれは変だと吐き出してしまうでしょう。だから、子供とはいえ五人の者が揃ってなんの疑いも抱かずに口に入れてしまったというのは、たぶん、稲荷寿司そのものが小さめで、一口ぐらいで食べてしまえるものだったからではないかと思います。しかも味つけが濃く、多少の苦みぐらいは隠してしまうことができるもの——」

茂七もそれにはうなずいた。それに、ここの子供らは、たとえば一日雨ざらしになっていたような供物でも口にしていたのだ。多少味が悪かろうが堅かろうが、とんちやくしないで食べたことだろう。

そこまで周到に考えて毒を手に入れ、仕込む――そんな芸当が、果たしてここらの住人たちにできただろうか？

なるほど彼らは生業《なりわい》を持ち、薄い厚いの差はあっても屋根のある家に住み、どうにか暮らしをたてている。だがそれもひと皮めくれば、お稲荷さんで殺された子供たちと変わらないような、綱渡りの暮らしだ。彼らが子供らを目障《めざわ》りだと思ったり、あるいは見て見ぬふりをしてきたのは、彼らにも他人にかまう余裕がなかったから、あるいは、彼らの哀れな境遇に、他人《ひと》ごとでないようなものを感じて、かえって目をそむけたくなったからかもしれない――びくびくしながらこちらの問いに答える冬木町や蛤町の住人たちの顔を見続けているうちに、茂七はそう考えるようになってきた。

そうなると、非道な下手人を探す範囲を、もっと広げなければならない。茂七は糸吉を走らせ、大川のすぐ向こうの岡っ引きにも働きかけて、このあたり一帯の薬種問屋から近ごろ石見銀山を買っていった者を、手当たり次第に調べあげることに取りかかった。

これは根気の要る大仕事だ。薬種問屋には、大勢の担《かつ》ぎの薬売りたちが出入りする。店によっては素人《しろうと》相手に小売りをするところもあるし、医者だけを上客にしているところもある。石見銀山は猛毒であるが、反面、実に簡単に手に入れることのできる薬でもあるから、そのすべてを洗い出すとなったら、とにかくこつこつと足で歩き回るほかに手がない。

一方では、権三とふたりで、ことが起こった日に、寺裏のお稲荷さんで何か見かけた者がいないかということも、範囲を広げて調べ始めた。つかみどころのない調べごとだが、最初の一歩はそれしかない。

それでも、気が急《せ》いた。もし、こんなことをやった下手人が、たまたま寺裏の稲荷の子供たちを選んだというだけで、この土地や住人たちそのものとはまったく関わりがなかったとしたら、恐ろしいことになるからだ。

そいつは次に、いつ、どこで、何人の子供らを狙《ねら》って、毒入りの食い物をばらまくかわからない。

胃の腑《ふ》の底が焼けつきそうになるほど、気が急いた。

四

事件が起こってちょうど十日後の夜、茂七はひとりでぶらりと、富岡橋のたもとの路地に出ている稲荷寿司屋台を訪れた。茂七の投げた投網《とあみ》にはいっこうに魚がかからず、ただ焦《じ》れるだけの毎日に、少しひとりになって休みたいと思ったとき、足がそちらに向いたのだ。

どうにも正体の知れない、だがどうやら武家あがりであるらしい親父《おやじ》がひとりで切り回す、小さな屋台である。地元の俠客《きょうかく》、梶屋《かじや》の勝蔵《かつぞう》さえもが、この親父の顔を見て小便ちびりそうになり、所場代《しょばだい》を取り上げることさえしていない。そのくせ、当の稲荷寿司屋は、いっこう、強《こわ》もてのする顔をしてもいなければ、肌に彫り物があるわけでもない。

すでにこの親父とは、茂七は顔馴染みになっている。しばしば通っているからだ。この親父の正体に興味があるし、またお役目柄それを知っておきたいという気持ちもある。が、それ以前に、稲荷寿司はもちろん、ここで出される料理がめっぽう旨《うま》いので、ついつい常連になってしまったということもある。

ふつう、稲荷寿司の屋台は椀物《わんもの》など出さないものだが、ここではそれも出すし、焼き物、煮物、時には甘いものの類《たぐい》まで揃えてある。おまけに安い。そして、夜遅くまで明かりをつけて商売している。馴染みになったのは茂七ばかりではなく、夜半になると、屋台のまわりは、商いをしまって帰る途中の二八蕎麦《にはちそば》屋とか、夜回りの連中とか、木戸番の男たちとか、今日はちょっと稼ぎがよかったという夜鷹《よたか》の女たちなどでいっぱいになってしまう。

今夜も同じような具合だった。茂七は親父に目で挨拶《あいさつ》をし、入れ代わりに腰をあげて路地を出て行った遊び人ふうの若い男の占めていた席へ腰をおろした。

「しばらくお見限りでしたね、親分」と、親父は言った。今夜も、稲荷寿司の並んだ台の向こうから、白い湯気があがっている。

茂七は少し、声をひそめた。「例の寺裏の殺しがあったからな」

茂七より少し年下のはずだが、額のしわはずっと深く刻まれている親父は、かすかに顔を歪《ゆが》めた。

「酷《むご》い話があったもんです」

「本当にな」

実を言えば、あの件以来ここへ寄りつかなかったのは、はっきりした理由があった。稲荷寿司を見ると、あの子らの顔を思い出すからだ。ここだけではない。道を歩いていて稲荷寿司屋の屋台に出くわすと、思わず目をそらすようになってしまっていた。

だから今夜も、ちょっとあの屋台にでも行ってみるかと思いついたとき、最初はためらった。だが、思い直して家を出てきた。ひょっとしたら、稲荷寿司を見てみたほうがいいのかもしれない。それであの子らの顔を思い出して、弱気になりかかっている自分に活を入れてやったほうがいいのかもしれないと思ったからだ。

「稲荷寿司だったそうですね」と、親父が言った。ひょいと目をあげてみて、茂七はこれまでで初めて、親父の眉毛《まゆげ》のあたりに、怒ったような線が浮かんでいるのを見つけた。これまで、自分の心の内を外に出すような親父ではなかっただけに、茂七は親父の顔をじっと見つめてしまった。

「あんたも腹が立つかい」

「立ちますとも」と、親父はすぐに答えた。

「私の商売ものですよ」

言葉といっしょに、稲荷寿司が三つ乗った小皿が出てきた。茂七は皿を受け取り、渋茶の入った湯飲みを取りあげた。ここでは酒は出さない。茶か、白湯《さゆ》だけだ。

「今夜はほかに何がある？」

「白魚蒲鉾《しらうおかまぼこ》はどうです」

聞いたことのない食い物だ。

「なんだい、そりゃあ」

「まあ、召し上がってみておくんなさい」

しばらくして出てきたのは、椀のなかに入った、なにか白くて小さなものだった。たしかに、型をつけてない蒲鉾のような見てくれだが、葛《くず》あんがたっぷりかけてあり、てっぺんにちょこんと山葵《わさび》が乗せてある。

味わってみると、ほのかに魚の旨味《うまみ》があり、うっすらと塩味で、口のなかで雪のようにすうっと溶けてゆく。

「こりゃ旨い」

「でしょう？　親分はついていなすった。それは、たくさんはできないものですから。それで最後のひと椀でした」

それを耳にしたのか、うしろのほうで女の声が「あら、つれないわねえ」と言った。

茂七は振り返らなかった。夜鷹だろう。こっちの顔を見せて怖がらせることもない。

「白魚蒲鉾ってえんだ、白魚を使うんだろう？」

「そうですよ。白魚を、たとえば一升あったら同じだけの一升の水につけるんです。朝から晩までね。すると水が濁るでしょう。その水を鍋《なべ》でよく煮詰めて、固まってきたものをすくったやつがそれですよ」

茂七は驚いた。「えらい手間がかかるんだな。それにもったいないような気もしねえか？　白魚は、二杯酢をかけて、そのまま食うもんだと思ってた。ちっとばかしの量をな。一升なんて、高価《たか》いだろう」

親父は口元に微笑を刻んだ。「それはおっしゃるとおりですがね。でもあっしは、白魚を生のまま食うのがどうも嫌いでして」

「ほう、うちの糸吉と同じだ。どうにも可哀相《かわいそう》だ、あの点々みたいな目を見ちまうとって言ってるよ」

「そんなことを言い出したらきりがないんですがね」と、親父は笑った。「鰹《かつお》だって鰆《さわら》だって、みんな同じなんだから。しかし、どうも白魚は苦手なんですよ。ああ俺は生き物を食ってる、殺生《せっしょう》をしてるってことを、まともに感じちまうんです。たしかに、糸吉さんの言うとおり」

「それでも、蒲鉾になっちまえば……」

「まあ、目がなくなりますからね」

茂七と親父は、声をあわせて笑った。久しぶりに笑ったなと、茂七は思ったものだ。

このとき、こうして気をとり直したのがよかったのかもしれない。それがツキを呼んだのかもしれない。寺裏の子供殺しの下手人が割れたのは、その数日後のことだった。

考えようによっては、これは茂七の手柄だと言えた。いや、権三などは、頭から「親分の仕掛けが効いたんですよ」と言った。

茂七は糸吉と権三に、縄張の内の薬種問屋には、残らず、そして何度も何度も足を運べと言い付けていた。うるさがられても、何度でも行けと。そうしているうちに向こうが思い出すことがあるかもしれない。また、こっちのそういう態度が、問屋の口を通してその顧客たちのあいだにも広まる。また、嫌でも広まるくらい、凄《すご》みをきかせてしつこく足を運べと命令しておいたのだ。

石原町《いしわらちょう》にある呉服屋尾張屋《おわりや》の女中おこまという娘が、寺裏の自身番をおずおずと訪ねてきたのは、お店の言い付けで彼女が何度か足を運び、石見銀山《いわみぎんざん》を買って帰ったことのある薬種問屋に、お上の手の者がしつこくしつこく訪ねてきては、石見銀山を買っていった客のなかに様子のおかしな者はいなかったかとか、客の顔を思い出せないかとか、ねちこく聞き出そうとしているというのを知ったからだそうだ。そして、いつか自分が石見銀山を買ったことがあるとばれたら、自分はきっとおろおろしてしまって嘘《うそ》などつきとおせないし、そうなると、尾張屋の旦那《だんな》はすべておこまがひとりで勝手にやったことだと、彼女に罪をおっかぶせようとするかもしれないとも思えて、それも怖くなった。

茂七は、震えるおこまを宥《なだ》めたり、ときには叱《しか》りつけたりしながら話を聞き出した。

尾張屋には、今年十六になるひとり娘のおゆうというのがいる。透けるほどきれいな白い肌に、ぱっちりとした瞳《ひとみ》。縁談の話がひきもきらないほどの器量よしだそうだ。

だが、このおゆうには困った性癖があった。生き物をいじめたり、殺したりして喜ぶというのである。

「あたしは子供のころからお嬢さん付きの女中でしたから、よく存じています」と、おこまは痩《や》せた肩をぶるぶる震わせながら言った。「尾張屋のお店では、金魚とか猫とか子犬とか、飼っても長もちしたためしがないんです。みんなお嬢さんが殺してしまうから」

おゆうのこの性癖は、悲しいことに生まれながらのものだったようだ。尾張屋の面々も、それはもちろん心を痛めてあれこれ手を尽くしてきたそうだが、どうすることもできなかった。

それでもある程度大人になると、おゆうのこの性癖も、日ごろはきれいな顔の下に隠れているようになった。ときどき――半年に一度くらいの割合で、まるでもの狂いになったかのように子猫をいたぶったり、野良犬《のらいぬ》に毒団子を与えて、苦しみもがいて死んでゆくのをじいっと見つめたり――というふうになる。が、それ以外のときは、おおかたおさまっている。それだから、尾張屋としては、おゆうの「発作」が起こったとき、早く彼女の気が済むようにしてやることが肝心だった。

「半月前も、それでした」と、おこまは力なく語った。

おゆうに例の虫が出て、血が騒ぎ始め、おこまに石見銀山を買ってくるようにと言い付けたのだそうだ。

「お嬢さんがそんなふうになってるとき、うっかり逆らったりすると、ぶたれたりひっかかれたり、そりゃひどい目にあわされます。だから、言うとおりにするしかなかった」

それに、尾張屋の人たちは、狂気の嵐《あらし》が過ぎればおゆうも静かになるだろう、野良犬か、野良猫か、それとも雀《すずめ》か烏《からす》か、一匹二匹殺せば彼女も気がおさまるだろう――という考えかたに慣れていたので、たかをくくっていたのだと、おこまは話した。

ところが、ふたをあけてみたら、子供が五人も死ぬ羽目になっていた――

「お嬢さんは、三日に一度、寺裏の裁縫のお師匠さんのところにお針の稽古《けいこ》に通ってるんです。送り迎えは、あたしがしています。あのお稲荷さんのことは、お嬢さんもよく知っていました。いっぺん、『ここには、夜になると、野良猫みたいな子供がいっぱいいうようよしてるんだって話だよ』って、あたしに言ったことがありました」

殺しのあった前日に、台所女中が、おゆうの言い付けで稲荷寿司をたくさんつくっていたことも、おこまは知っていた。

「だからあの子たちが死んでからってものは、あたし、生きた心地もしませんでした」

「で、お嬢さんのほうはどうなんだ。五人も殺したら、気が済んだようかい」

「はい、今はすっかり落ち着いてます。また半年は、もつでしょう」

おこまの話を聞きながら、茂七はしきりと、おゆうという娘の頭のなかはどうなっているのだろうと考えていた。

世の中には、あの親父や糸吉みたいに、小さい点々みたいな目で見つめられるというだけで、白魚さえ食べることのできない者がいる。それなのに、子供を五人も殺しておいて、てめえは涼しい顔で飯を食ったり習いごとをしたり枕《まくら》を高くして寝たり

――

ふと、背筋の寒くなるようなことを考えた。

おゆうという娘の目には、あの寺裏のお稲荷さんに隠れるようにして住んでいた子供たちが、二杯酢につけられてまだぴちぴち動いてる白魚みたいにしか見えなかったんじゃねえだろうか。たとえば彼らに見つめられたり、彼らを見つめたりしても、俺

が白魚の点々みたいな目に見つめられたときと同じくらいのことしか感じなかったんじゃねえだろうか。

だから、生きたままひょいと呑《の》んじまっても平気なんだ。

おこまが帰ったあと、権三が訊《き》いた。「どうなさいます、親分」

おゆうを磔獄門《はりつけごくもん》にしてやりたい。が、今度のことでは、そうなる見込みは薄いだろう。

石原町の尾張屋は分家である。本家は通町のど真ん中にあり、熊手《くまで》でかき集めるようにして金を稼いでいる。お上のなかには、そういう大商人から金を融通してもらっている輩《やから》も少なくない。となると、ことを表向きにしても、最後にはいくばくかの金を見せられ脅しをかけられて、引き合いを抜けと諭されるのがおちだ。本所深川方の旦那衆も、加納新之介を除いては、賄賂《わいろ》にころりといってしまうだろうし。

だったら――

茂七はひょいと立ち上がった。「権三、ついてこい」

「へい」権三は目を輝かせた。「尾張屋に、ですね」

茂七はにやりと笑った。「お店者《たなもの》を威《おど》しつけるこつは、お店者あがりのおめえがいちばんよく心得てるだろう」

さて尾張屋からいくらしぼりあげてやろう。向こう四、五年のあいだは、家のない子供らを住まわせて着させて食わせてそれでもおつりのくるくらいの金……その上、海辺大工町の勝吉に頼んで、もう一軒家を建てることができるぐらいの金。

そうしてむろん、二度とおゆうにあんな真似《まね》をさせないように、今度あんなことが起こったら尾張屋はどうなるかと、骨身にしみてわからせてやらねばならない。そういうはったりならこっちは大得意だ。

「出かけるか」と、茂七は言った。

五人の子供が殺されてから一年足らずのちに、寺裏の怖いお稲荷さんのすぐ脇《わき》に、小さな地蔵堂が建てられた。ちゃんと瓦《かわら》ぶきの屋根の下には、小ぶりなお地蔵さんが五つ、肩を寄せあうようにして並んでいる。

この地蔵堂は、寺裏や蛤町あたりの住人たちが、寄進を集めて建てたものだ。尾張屋の金は一銭も使われていない。

隣のお稲荷さんと違って、この地蔵堂を怖がる者はいない。だが、風の強い夜など、ここから子供の笑い声が聞こえると、噂《うわさ》しあう者はいるそうだ。

それから、これは大方の者には関わりのないことだけれど、回向院の茂七のかみさんにだけは、不思議なことがひとつある。寺裏の事件以来、茂七親分は、白魚を二杯酢でぴちぴち食うことがなくなった。誰がどう勧めても、それだけは勘弁してくれと、断るそうである。

鰹《かつお》千両

一

糸吉《いときち》が来客を知らせてきたとき、茂七《もしち》は台所に立っていた。

風の香りもかぐわしい五月といえば、鰹《かつお》である。茂七自ら包丁を手に、鰹の刺身をつくろうというのであった。

いつもの年なら、かみさんが半身《はんみ》のそのまた半分くらいの切り身を買ってきて刺身につくる。だが今年は、まるまる一本そっくりを、他所《よそ》からもらってしまったのである。

つい半月ほど前、商人相手のたかり屋にひっかかって往生していた相生町《あいおいちょう》の袋物問屋を、内々《ないない》で助けてやったことがあった。こちらはもうそんなことなど忘れていたのだが、助けられたほうは律儀《りちぎ》なもので、生きのいい鰹が手に入りましたからと、届けてきたという次第だ。

「あたしがのろのろいじくりまわして生あったかくしちまうより、おまえさんにつくってもらったほうがいいわね」

かみさんが、そう言って茂七に下駄《げた》を預けてしまったのには、ちょいと理由《わけ》がある。以前、かみさんが鮪《まぐろ》の赤身をさばいていたとき、その手元がのろついていたというので、茂七がからかい半分文句半分で、

「これだから、女のつくる刺身ってのは生あったかくて困るんだ」などと言ってしまったことがあるのだ。

その場はかみさんがむくれにむくれた結果、茂七親分が謝ることでおさまったのだが、謝ってもらったからといってしゃらりと忘れることができないのが、女の性分というものであるらしい。

鮪の敵《かたき》を鰹で討たれ、実を言えば包丁片手に往生していた茂七は、お客と聞いて、天の救《たす》けと思ったことだった。

「誰が来たっていうんだい？」

台所から大声で呼ばわると、糸吉が呑気《のんき》な声で返答した。

「角次郎《かくじろう》さんですよ、三好町《みよしちょう》の」

ますますの天恵である。三好町の角次郎は棒手振《ぼてふ》りの魚屋なのだ。

「あがってもらえ。ずっとこっちまで来てもらいな」

大声で命じておいて、茂七はかみさんに言った。

「玄人《くろうと》の目の前で一丁前の面《つら》をして包丁をふるうなんて、野暮《やぼ》の極みだ。ここは角次郎に頼むとしようぜ」

かみさんは横目で茂七を見た。

「おまえさんも悪運の強い人だこと」

さすがは商売人である。角次郎は茂七たちの見守る目の前で鰹をさばき、炭火で切り身の皮に焦《こ》げ目をつけて冷水でしめ、三角形の鮮やかな赤い切り口が美しく見えるように皿に盛りつけるところまで、とんとんと手順よく片づけていった。

「あたしはいつも、たたきをつくるときは、この餅網《もちあみ》を使って切り身を焙《あぶ》るんだけど」

かみさんは、角次郎に言った。

「これでいいものかしら。本当は、串《くし》に刺して焙るものなんでしょう?」

「なあに、これでかまいませんよ」

餅網を七輪《しちりん》の上にかざし、まんべんなく皮に焦げ目がつくように時折傾けたりまわしたりしながら、角次郎は答えた。

「あっしもこういう餅網を使ってます。ただこの餅網を、ほかのことに使っちゃいけませんよ。魚の匂《にお》いがうつっちまいますからね」

「ええ、そんなことはしてないわ」

「そんならいいですよ。もともと、鰹をこうやってさっと火を通して食うのを『沖《おき》鱠《なます》』って言いましてね。漁師が始めたやり方ですよ。そのときは、藁《わら》を燃して魚を焙ってたんですから」

ふたりのやりとりを脇《わき》で聞いていた茂七は、そういえば角次郎は江戸へ出てくるまで、川崎のほうで細々と漁師をしていたのだと言っていたことを思い出した。この江戸の町の、無数のその日暮らしの人びと同様、角次郎もまた、故郷では食ってゆくことができずに江戸へ逃げ込んできた口なのである。

鰹まるまる一本分の刺身となれば、大変な量である。水屋のなかの皿のたぐいは全部使い尽くしてしまい、茂七のかみさんは、さあ今度はどことどこにこれをおすそわけしようかと悩み始めた。その相談相手には糸吉をあてがっておいて、茂七は角次郎を座敷のほうへ招き入れた。

「ありがとうよ。おかげで大助かりだ」

「お安い御用でござんす」

ぺこりと頭をさげ、角次郎は首に巻いていた手ぬぐいで額をぬぐった。

歳《とし》は三十半ば。がっちりとした身体《からだ》つきに、鰹節色に焼けた肌。いかにも漁師あがりという風情《ふぜい》の男だ。大きな手はごつく、節くれだっているが、角《かく》ばった爪《つめ》の並ぶその手が、どれほど器用に手早く仕事をやってのけるものか、たった今見せられるまでもなく、茂七はよく承知している。

「まあ、かしこまらねえで楽にしてくんな」

茂七はあぐらをかきながら、気楽な口調で切り出した。

「わざわざ俺のところに足を運んできてくれたのは嬉《うれ》しいが、おめえにしては珍しい。何か困り事かい？」

茂七が角次郎と顔見知りになってから、かれこれ三年ほどになるが、今まで彼のほうから訪ねてきたことは一度もない。商いに来たことさえない。それは角次郎が怠け者だからではなく、茂七には懇意にしている魚寅《うおとら》という魚屋がいることを承知しているので、そちらの顔を立てているのである。

角次郎は、もう汗は浮かんでいないのに、また手ぬぐいで額をぺろりとやった。

「なんとも……話しにくいことなんです、親分さん」

「ほほう」茂七はにやりとした。「なんだ、おめえに情女《いろ》でもできたかい？」

「とんでもねえ」

角次郎は小さい目を真ん丸にして、あわてて手を振った。

「そういうことじゃねえんで。ただ、親分さんに信じてもらえるかどうかわからねえから。まったく妙ちきりんな話なんですよ」

角次郎の困惑ぶりは本物である。彼が真面目《まじめ》な男であることは茂七にもわかっているから、からかうのはそこで止《や》めにした。

「まあ、言ってごらんよ。俺はたいていのことじゃ驚かねえから」

手ぬぐいを握りしめ、くしゃくしゃにしてしまい、それで鼻の頭をひょいと拭《ふ》いてから、ようやく角次郎は顔をあげた。

目つきは真剣だが、どういうわけか口元がゆるんでいた。今にも笑いだしそうだ。

「この季節ですからね、親分さん。あっしも鰹を仕入れて売ってます」

「うん、そうだろう」

「もっとも、あっしみたいな棒手振りの魚屋についてる客は、みんなあっしと同じくらいの貧乏人ですよ。まるまる一本とか、半身の鰹なんてもんには、とてもじゃねえが手が出ねえ連中ばっかりだ」

「うちだってそうさ。あの鰹はもらいもんだよ」

「そうですか。まあそんなことはいいんだけど——えーと」

「おめえも鰹を売ってるって話だ。客はつましい暮らしの連中だってところまで来た」

「そうそう」

角次郎はまた汗をかき始めた。顔はへらへら笑っている。

「あいすみません。あっしは馬鹿《ばか》だから。差配さんにいつも言われてるんですよ、角次郎おめえは――」

茂七は途中でさえぎった。

「余計なことをしゃべるとまたわからなくなるぜ。それで、鰹がどうした」

「そうだ、鰹、鰹なんですけどね」

角次郎のごっつい顔に浮かんでいる汗や、きょろきょろと落ち着きのない目玉の動きを見ていると、こっちまでそわそわしてきそうだと茂七は思った。

どうしたというんだろう。わざわざ俺のところへやってくるくらいなのだから、確かに何やら困ったことを抱えているのだろうに、これではむしろ、いいことがあって浮かれているようにさえ見える。「情女でもできたか」とからかったのも、彼の様子が、それほど深刻なものには見えないからなのだ。

「あっしのところでは、鰹はさばいて、刺身にして売ります」

ようやく本筋に戻って――戻ったのかどうかしかとはわからないが――角次郎は続けた。

「冊《さく》で売ることもしません。全部刺身につくっておいて、お客に頼まれた分だけ売ることにしているんです。ほんの二、三切れを売ることだってありますよ」

女房を質においてでも食いたいと言われる旬《しゅん》の鰹である。角次郎のような棒手振りの魚屋がいてくれれば、貧乏人にも楽しみが増えるというものだ。

「そいつは大いに結構なことだと思うよ」

ありがとうございますと、角次郎は頭を下げた。

「そいですから、鰹の旬のこの時季には、あっしは毎朝、河岸《かし》で小ぶりの鰹を一本買うことにしています。それをうちに持って帰ってさっきみたいな刺身につくって、それから担《かつ》いで売りに出るんです」

「まっとうな商いじゃねえか」

へい、と角次郎はうなずいた。

「それでもって、今朝のことです」

角次郎はどうしたのか、ここでごくりと唾《つば》を呑《の》んだ。

「今朝のことですよ、親分さん」

「聞いてるよ、今朝何があったんだ」

角次郎のがっちりした肩が、わずかに震え始めている。茂七は身体を起こし、彼のほうに身を乗り出した。

「何があったんだい？」

角次郎は今は汗びっしょりだ。ようやく口を開いたとき、その声は割れていた。

「あっしが今朝、いつものように鰹を刺身につくろうとしていたときです。人が訪ねてきました。日本橋の通町《とおりちょう》の呉服屋の、伊勢屋《いせや》ってところの番頭さんだっていうんです」

「その番頭がどうした」

「あっしの鰹を買いたいって。お店に持って帰るから、一本まるまる、刺身につくってくれっていうんです」

「そいつが妙な話だっていうのかい？」

角次郎はうかがうような目つきで茂七を見た。

「妙じゃありませんか？」

「通りがかりにおめえの鰹を見かけてさ、ああいい鰹だ、ぜひあれをと、まあそんなところじゃねえのかい？　日本橋の呉服屋といったら金持ちには違いねえ。もっとも、番頭がてめえひとりの采配《さいはい》でそんなことを言うのは出過ぎたことだが……。おめえも、そのへんが気になるんだろう」

角次郎は首を振った。

「そうじゃねえんです。だってその番頭さんは、はっきり言ったんですよ。私は旦那《だんな》さまの遣いで来た。角次郎さん、うちの旦那さまは、どうしてもあんたから鰹を買いたいと言っておられる、売っておくんなさいって」

「じゃあ、結構なことじゃねえか。売ってやったらどうだ。金持ちの気まぐれだよ、角次郎。せいぜいふっかけて売ってやって、おめえの商いの分には、また別に鰹を仕入れればいいじゃねえか」

茂七の言葉に、角次郎は黙りこんだ。くちびるはぎゅっと閉じているが、目元は笑ったような緩んだような妙な具合になっている。

どうもおかしい。茂七もようやく本気で心配し始めた。

「おめえ、大丈夫か、角次郎」

「わからねえ」と、角次郎は正直に答えた。

「あっしにもこんなことは初めてだから」

「鰹をまるまる一本売ることがか？」

「そうじゃねえ。いくら貧乏な棒手振りだって、それくらいのことなら先にもあった」

「それじゃあ、いったいなんだっていうんだ？　おめえは何を気に病んでるんだよ」

茂七もいささか焦《じ》れてきて、声が高くなった。その声の余韻にまぎれてしまうような小さなささやき声で、角次郎は言った。

「――千両」

「え？」

「千両出すっていうんです」

茂七はじいっと角次郎の顔を見た。彼も鼻の頭に汗を浮かべたまま、茂七を見返した。

「そうなんですよ。あっしから鰹を買う。その買値《かいね》に、千両とつけてきたんです。どうしても千両出すって言ってきかねえんです。それ以下の値じゃ買わねえ、なんとしても千両受け取ってくれって」

昼近く、角次郎が商いに出たあとを見計らって、茂七は三好町の彼の住まいを訪ねた。

二

角次郎には同じ歳のおせんという女房と、十三歳になるおはるという娘がいる。おせんは腕のいいお針子だ。角次郎と所帯を持つ以前から、仕立物を生業《なりわい》の道としており、今も亭主とは別に立派に看板をあげて商いをしている。実は、茂七のかみさんも仕立物商売をしているものだから、その線からも、茂七はおせんの噂《うわさ》をよく聞いて知っている。

彼女が扱うのは、芸者衆が座敷で身に着ける高級な品物ばかりである。お得意先は、辰巳《たつみ》芸者と呼ばれる深川永代寺《ふかがわえいたいじ》の門前町の芸者たちだ。

芸者の着物はもともと、袖付《そでつ》けをゆったりととってある。踊りを踊るからだ。髷《まげ》を大きく結うから、襟の抜きも深い。そもそも反物を裁つときから、町の女たちの着物とは違っているのだそうだが、おせんの仕立てはそのうえさらに工夫がされており、それを着る千差万別の体形の芸者のひとりひとりが、それぞれいちばん美しく見えるように、微妙に裾《すそ》の長さをかえたり、身幅を調節したりしてあるのだという。

所帯を持ったばかりのころ、おせんと角次郎は柳橋《やなぎばし》に住んでいた。つまりそのころは、柳橋の芸者衆がおせんのお得意先だったわけだ。何かと張り合うことの好きな芸者衆のことだから、辰巳芸者におせんをとられて、柳橋の姐《ねえ》さんたちも、当時はさぞかし悔しがったことだろう。

今、角次郎夫婦の住んでいるこの三好町の棟割《むねわり》長屋は、つくりとしてはどこにでもある形のものだ。木場《きば》のど真ん中だから、周囲は木置場《きおきば》と掘割ばかり。日当たりも風通しもいい。そこにこの夫婦は、おせんの仕事の都合があって、この長屋のなかではいちばん広いところを借りていた。棒手振りとはいえ魚屋の住まいだというのに、生臭い匂《にお》いなどまったくしない。台所の脇の日当たりのいい場所に、角次郎が商いものをさばくときに使う大きな俎板《まないた》と、おせんが飯の支度に使う小さな俎板が、きれいに洗って並べて干してあった。

表の障子戸にも、一枚には「さかなやじろう」と、もう一枚には「おしたてものせん」と、おそらく差配の字であろう、なかなか重々しい手跡《しゆせき》で書いてある。

自らそれだけの職を手に持ち、しっかり稼いでいるおせんにとっても、やはり千両というのは目の回るような大金である。茂七の顔を見ると、彼女のほうから飛びつくようにして話を持ち出してきた。
「じゃ、今朝うちの人がうかがったんですね。あいすみませんでした」
「謝ることはねえよ。確かに面妖《めんよう》な話だ」
心なしか、おせんの頰が紅潮しているようだ。そういえば角次郎もそうだった。
鰹を千両で売ってくれなどと、にわかに信じられる話ではない。まともな取引では
ない。何かよくない裏がある。そう思うのは自然の感情だ。だが反面、こつこつと働
いて暮らしている庶民には、千両という言葉の重みもまた物凄《ものすご》い。
江戸の町では諸式が年々高くなるいっぽうなので、いちがいには言えないが、一両
あれば、大人ひとりが一年食ってゆくことができるだけの量の米を買うことができる。
千両あれば千人が、何もしなくても一年間、米の飯を食うことができるというわけだ。
角次郎のところは三人家族だから、それぞれがこの先三百数十年、働かなくても米の
飯にはありつけるということになる。千両とは、それほどの大金なのである。おかし
な話だと思いつつも、角次郎の顔が変なふうに緩み、おせんのほっぺたが赤くなって
しまうのも、無理のないことだ。
「親分さんのところには、あたしが行けってすすめたんです」とおせんは言った。
「こんな話、おっかなくって乗れません。だけどやっぱり肘鉄《ひじてつ》くわせるには惜しいし

「……」

「そりゃそうだ。あたりまえだよ」

「とにかく親分さんに相談してみようと思って。伊勢屋さん……いったい、どうしたもんでしょうね」

今朝のところは、角次郎が今日仕入れた鰹を売りに来るのを楽しみに待っている客がいるから、とりあえず引き取ってもらったという。すると伊勢屋の番頭は、では明日、明日は必ず、あんたの仕入れた鰹を千両で売ってくれと念を押して帰っていったという。

だが、なぜ角次郎の鰹を買いたいのか、しかもなぜ千両という大金と引き換えでないといけないのか、その理由については、夫婦でどれだけ食い下がって尋ねても、頑として答えてくれなかったという。

「お金はきちんと用意してきたんだっていって、見せてくれたんですよ」

持参していた木箱を開け、百両の包みを十個、角次郎夫婦の目の前に並べてみせたのだそうだ。

「とりあえず俺は、日本橋の通町に本当に伊勢屋という呉服屋があるのかどうか、それを確かめてみたいんだ。あったとしても、その次には、ここへ来た番頭が、本当にその伊勢屋の番頭であるかどうかも調べねえと」

「じゃ、あたしがいっしょに出向いたほうがいいですよね？」

「そうしてくれねえか。先方にはさとられないように、そっと遠くから見るだけだから、面倒はないよ」

おせんは大きくうなずいた。「わかりました。でも、ちょっと待ってもらえますか。はるを遣いに出したところなんです。おっつけ戻ってきますから、そしたらあの子に留守を頼んで出かけられます」

「おはる坊も、今度の話は知ってるんだろう？」

「ええ、あの子も起きてましたからね」

おせんは言って、うふふと笑った。

「あの子がいちばん落ち着いてましたよ。子供はまだ、おあしの有難味を身にこたえて知らないからでしょうね」

そんなことを言っているうちに、おはるが帰ってきた。

「あ、親分」と、にっこり笑った。「こんにちは」

「おう、こんにちは。ちぃと見ないあいだに大きくなったな、おはる坊」

「やだなぁ、もうおはる坊なんて呼ばないでちょうだい」

「そうかい、そりゃ悪かった。おっかさんの手伝いをしてるのかい？」

おはるは誇らしげにうなずいた。「あたしこのごろじゃ、裁ち物もできるのよ」

角次郎はあの鰹節顔だし、おせんもお世辞にも色白とはいえないほうだが、娘のおはるは肌も真っ白、目元の涼しい可愛《かわい》い娘だ。あと二、三年すれば三好町小町――いやいや深川小町と呼ばれるようになることだろう。

おはるに留守を預けて日本橋へと向かう道中、おせんはよくしゃべった。今度のことで嬉《うれ》しいやら不安やらで気が転倒している角次郎に比べて、おせんはずっとしっかりしている。

「千両って聞いたときは、ただもう馬鹿《ばか》ばかしくって」と、おせんは笑う。

「けど、あの番頭さんが帰ったあと、じわじわ考えるようになっちまったんですよ。もしもあの話が本当だったらどうだろう。お金持ちが粋狂で、なんだか知らないけどうちの鰹が縁起がいいとかで、どうしても千両払って買いたいっていうだけのことだったらどうだろうって。そしたら、あたしたちは千両手に入れることができる」

茂七は黙って聞いていた。目の先をついと燕《つばめ》が横切っていっても、おせんの目は遠くを見ている。

「そしたらあたしたち、念願の店が持てます。あの人も、もう棒手振りなんかしないで済む。真夏に汗だくだくになって歩き回ったり、雪の日にしもやけをこさえて干物《ひもの》を売って歩いたりしなくてよくなるんです」

「だけど、あんたは角次郎の店を手伝うことはできまい」と、茂七はゆっくり言った。

「あんたが仕立物をやめちまったら、辰巳の芸者衆がみんな困る」

「魚屋のほうには、人を雇いますよ」おせんは大らかに言った。「あの長屋を出て、表店《おもてだな》に住むんです。おはるにだって、もっと楽な暮らしをさせてやれる」

だがあの娘は今《こ》だって、けっして不幸せには見えねえよ――口には出さず心のなかで、茂七は呟《つぶや》いた。

ほとんど探すまでもなく、通町の伊勢屋はすぐ目についた。白地に紺で染め抜いた大《おお》のれんが、五月の風にひるがえっている。

茂七はおせんと連れ立って、さりげない足取りで、伊勢屋の前を二往復した。そのあいだにおせんの目が、反物を積み上げた棚の向こう、相当な年代物であろう帳場格《ちょうばごう》子《し》の内側に座っている男の顔を見分けた。

「間違いない、あの人です。今朝うちを訪ねてきたのは」

「えらい繁盛《はんじょう》しているお店だな」

千両ぐらい、右から左かもしれねえ。

「出鱈目《でたらめ》じゃなかったんですね、親分」

おせんの声が、わずかに震えている。両手を拝むようにそろえ、口元にあてている。

「だけど、こんなことってあるものなのかしら」

今のおせんの心のなかには、金座《きんざ》の大秤《おおばかり》よりも大きな秤があって、右の皿には彼女の夢が、左の皿には警戒心が乗せられている。秤はふらふら揺れ続け、右があがったり左があがったりしている。茂七にはその様子が目に見えるようだった。

おせんの心の大秤の、目盛りを狂わせたくはない。茂七は努めて冷静に言った。

「なあ、おせん。水をさすわけじゃねえが、それでもやっぱり、この話は妙だよ」

彼女は目を伏せた。「そうですよね……」

「得心《とくしん》がいくまで、俺にこの話、預けてくれねえか。先方にどういう言い分があるのか、じっくり聞いて、調べてみてえんだ。なるほどこれならいいだろうと思ったなら、俺はそう言うよ。そしたら鰹千両、売ってやるといい。なあに、富くじに当たったと思えばいいことだ。だがな、おせん」

おせんを見おろし、彼女が目をあげて視線をあわせてくるのを待って、茂七は続けた。

「この話に待ったをかけたほうがいいと思ったときには、俺は遠慮なくそうするぜ。

だから今は、今朝がたのことは夢だと思っていたほうがいい。そして、夢の金はあてにできるもんじゃねえ」

呼吸ひとつほどの間をおいて、おせんは小さく答えた。

「はい、わかりました」

三

おせんを三好町に送り届けると、茂七はいったん、回向院《えこういん》裏の住まいに帰った。かみさんと権三《ごんぞう》が雁首《がんくび》そろえて茂七の帰りを待っていた。むろん、鰹の刺身を食べようというのである。

「お昼っからこんな贅沢《ぜいたく》、罰があたりそうなもんだけど」

飯をよそりながら、かみさんが言った。

「早く口に入れたほうが、鰹のためにもいいってもんでしょう。そのかわり、今夜はおこうこでお茶漬けですよ」

「糸吉は？」

「おすそわけに出たまま、まだ戻らないんだけど、そろそろ帰ってくるでしょうよ」

鰹の刺身は、今の茂七の舌には、なんともやるせない味がした。千両の味がした。

食べながら、権三にことの次第を説明した。お店者《たなもの》あがりのこの下っ引きは、伊勢屋のことを調べあげるのにはうってつけだ。

「半日ももらえれば、あらかたのことは調べられましょう」

権三はしっかり請け負った。そうして昼飯があらかた済んだころ、糸吉があわてた様子で帰ってきた。

「急がなくても、糸さんの分ならとってあるよ」

笑って権三が声をかけたが、糸吉は履き物を脱ぎ飛ばして座敷にあがると、

「そうじゃねえんだ、親分、梶屋《かじや》がとうとうやりやがった」

と、息を切らせながら茂七に言った。

梶屋とは船宿の名前だが、実は地元のならず者の本拠地である。梶屋の主人であり、ならず者たちの頭《かしら》の勝蔵《かつぞう》は、茂七にとっては目の上のたんこぶだ。もっとも、商売屋から所場代《しょばだい》をとりあげたり、春をひさぐ女たちから用心棒代をとったり、博打場《ばくちば》を開いたり——と、裏の手を使って町から金を吸い上げる族《やから》は、どんな土地にもいる。そういう族のなかでは、梶屋の勝蔵はずいぶんと扱いやすいほうではある。茂七も勝蔵とは長い付き合いになるが、これまでに、梶屋と本気でやりあっ

て、彼らを叩《たた》き出さねばならぬと感じたことは一度もない。

「何をやりやがったんだ」

「ほら、あの富岡橋のたもとの稲荷寿司《いなりずし》屋の親父《おやじ》ですよ」と、糸吉は言った。「あの親父に、梶屋の若いのがからんだんです」

富岡橋の稲荷寿司屋というのは、半年ほど前からそこに屋台を出している、正体の定かでない男のことだ。この男が現れ商売を始めたとき、例のごとく梶屋の連中が早速出かけていって、なんだかんだとからんだ。ところが何があったのかほうほうのていで引き上げて、以来、近寄ろうとしていなかった。

その稲荷寿司屋に、とうとう梶屋が手を出したか。

「どういうことだ」

「富岡橋の近くに、磯源《いそげん》て魚屋があるでしょう。そこであの親父が鰹の切り身を買おうとしているところへ、梶屋の若いのが因縁をつけたんです。その切り身は、俺が買おうとしてたんだとか言ってね」

「冊《さく》よ」と、茂七のかみさんが糸吉に言った。

「へ？　なんですかおかみさん」

「お刺身にする魚の切り身のことは、冊というのよ」

糸吉はへどもどした。「へえ、わかりました。でもとにかく親分、そういうことなんで」

「それで、騒ぎになったのかい？」

「そりゃもう、大騒ぎ」糸吉は唾《つば》を飛ばしてしゃべった。「梶屋の若いのは、こいつ名前は新五郎《しんごろう》っていうんですけどね、気の短い野郎ですぐに匕首を抜いたんです。とこっがね、稲荷寿司屋も負けちゃいねえ、抜く手も見せずってな感じで新五郎の匕首を叩き落として、その場にのしちまいました」

茂七と権三は顔を見合わせた。

「稲荷寿司屋はそのまま帰っちまいましたから、あっしは新五郎をふんづかまえて、一応、番屋にぶちこんでおきました。野郎、まだそこで伸びてるはずです」

「寿司屋は素手でやったのかい？」

「そうです。いやあ、見事なもんでしたよ」

飯を終えると、茂七は着物を着替え、羽織を着込んで家を出た。暑いくらいの陽気だったが、日本橋の大店《おおだな》の主人を訪ねようというのだから、仕方がない。

伊勢屋に向かう前に、糸吉が新五郎をぶちこんだという番屋に寄ってみた。新五郎は目をさましていた。小柄だが眉《まゆ》が太く、きかん気そうな若者だ。両手をくられ、顎《あご》のところに見事な青痣《あおあざ》をこしらえて、ひねくれた顔をしていた。危ない匕首は、番屋の書役《かきやく》が糸吉から預かっているという。

「あの稲荷寿司屋が所場代を払わねえから、面白くなくてからんだのかい？」

尋ねても、新五郎はフンと鼻を鳴らすだけで返事をしない。

「食い物をネタに人様にからむなんざ、情けねえとは思わねえか」

新五郎はぎろりと目をむいた。

「稲荷寿司なんて子供の食い物を売ってるくせしやがって、一丁前に鰹を食おうなんて生意気だ」

「おめえこそ、ちゃんとした生業《なりわい》もねえくせして鰹を食おうなんて了見《りょうけん》違いだ」

決め付けておいて、茂七はしゃがみこみ、新五郎の目に目をあわせた。

「勝蔵に命令されてやったのか」

新五郎は吐き捨てるように答えた。「親分は何も知っちゃいねえ」

たぶん、そうだろうと思っていた。

「それどころか、あの親父には手を出すな、放っておけと言われてるんじゃねえのか？」

そうでなければ、今まであの稲荷寿司屋が、梶屋にやっつけられずに商いを続けていられるわけがない。

ことの始めから、茂七には、梶屋の勝蔵とあの稲荷寿司屋の親父のあいだに、なにがしかの関わりがあるように思えてならなかった。今度のことで、その関わりがどういうものであるか、少しはわかってくるかもしれない。

「どうだ？　親分はなんと言ってる？」

新五郎は、床にぺっと唾をはいた。

「親分は、何も知らねえ」

ふふんと、茂七は思った。どうやらこの新五郎は、所場代も払わず商いをしている稲荷寿司屋を放っておく勝蔵に、苛立《いらだ》たしいものを感じているようだ。

「そうか。だったら、おめえは勝手に騒ぎを起こしちまったわけだな。梶屋にこのことが知れたら、大目玉をくうだろうな」

新五郎の目に怯《おび》えの色が浮かんだが、くちびるは動かなかった。

「おめえ、今どれぐらい持ち合わせがある？」

新五郎が答えないので、茂七は彼のかたわらにしゃがみこみ、懐《ふところ》をさぐって財布を取り出した。小粒がいくつかと、一両小判が一枚あった。

「金持ちだな」

中身を抜き出して自分の懐に移し、茂七は言った。

「これは、迷惑をかけた磯源への詫《わ》び料だ。俺が代わりに届けておいてやる。おめえは親分に叱《しか》られに、梶屋へ帰るといい」

新五郎の縄をほどいて番屋から追い出すと、茂七は書役から匕首を受け取った。そのまま富岡橋のほうへ向かった。

磯源で金を渡したあと、いつも稲荷寿司屋が屋台を出している場所をのぞいてみた。親父はいた。もう商いを始めていた。お客が数人、立ったまま稲荷寿司を食っている。包んでもらうのを待っている女もいる。

声をかけず、茂七はそこをあとにした。匕首は、永代橋の上から捨てた。

四

茂七に限らず、今度の千両の鰹のことで、角次郎以外の者が訪ねてくるなど、伊勢屋の側では夢にも思っていなかったらしい。茂七がおとないを入れ用件を告げたときの先方のあわてぶりと言ったら、たいへんなものだった。

とにかく奥へどうぞということで、あの番頭が自ら先に立ち、長い廊下を案内した。たくさんの襖《ふすま》の前を通り抜けた。途中で、線香の匂《にお》いがぷんと鼻をついた。

通されたのは広い座敷で、床の間には大きな達磨《だるま》の絵が掛けられている。庭にはさつきの木があり、薄紅色の花がいっぱいに咲いていた。茂七はそこで、煙草《たばこ》を一服つけながら待った。

茶菓が出された。色も香りもいい玉露《ぎょくろ》だったが、茂七の舌にはいささかぬるすぎた。番茶のキンキンに熱いのが旨《うま》いと思うのは、こちらが貧乏人のせっかちだからだろうか。

やがて、四十そこそこの小柄な男が、待たせた詫びを言いながら現れた。伊勢屋の主人だった。小作りだがなかなかの美男で、頭も切れそうだと茂七は思った。目が鋭い。

すぐ後ろに、あの番頭が付き従っている。無言で茂七に頭をさげると、そのまま置物のようにじいっと座り込んだ。

「このたびは、わたくしどもの番頭の嘉助《かすけ》がとんでもないご迷惑をおかけしまして……」

「申し訳ございませんでした」と、嘉助が平伏する。

茂七は笑った。「棒手振《ぼてふ》りの角次郎も、迷惑をしてるわけじゃねえ。ただびっくりしてるんですよ。あたりまえの話だが」

「それもこれも、わたくしの言葉が足らなかったからでございます」と、嘉助が小さくなって言った。

「ぜんたい、いくら旬《しゅん》のものとはいえ、どうして鰹一匹に千両も払わないとならねえんですかい?」

伊勢屋の主人の顔をじっと見つめて、茂七は訊《き》いた。主人は小さく咳払《せきばら》いをすると、

「信じていただけないかもしれませんが」と前置きして、始めた。

「わたくしどもには、先代のころから懇意にしている、占いをよくする方がおられます。その方のお勧めにしたがって、鰹に千両払うことになったのでございます」

このところ、伊勢屋の商いの風向きが芳《かんば》しくないのだという。それを打開するには、何かの形で一時に大金を散財し、金と商いの流れに風穴を開けるがいいと言われたのだそうだ。

「散財と言われましても、さて困りました。これと言ってほしいものなど見当たりませんし、金の使い用がございませんのでね。そこで季節柄、鰹を買うことにしたのです。買い叩くなら文句も言われようが、高く買う分ならそれもあるまいと」

「じゃ、角次郎を選んだのは偶然だと？」

これには番頭がうなずいた。「はい。わたくしがたまたま見付けたというだけのことでございます。あの魚屋の鰹は確かに品もよさそうだし、それにどうせ高く買うのなら、大きな魚屋よりも、棒手振りから買ったほうが相手にも喜んでもらえると思ったものでございますから」

茂七はゆっくりと煙草を吹かした。

占いに凝る者なら、それなりに筋の通った話だと思うのかもしれないが、茂七には、逆立ちしてもはいそうですかと受け入れることのできる筋書ではなかった。なんだってこんな出鱈目《でたらめ》を並べてまで、鰹に千両払おうとするのだろう？

伊勢屋の主人は、懐から紫色の袱紗《ふくさ》を取り出した。ゆっくりと開く。なかから切餅《きりもち》——二十五両の包みがふたつ現れた。

「些少《さしょう》ではございますが、親分さんにはこれをご迷惑料としてお受け取りくださいますでしょうか」

おしいただくようにして、茂七に金を差し出す。茂七は煙草を吹かしながら、黙っていた。

そして、唐突に言った。「誰だか知らんが、盗み聞きはいけませんな」

伊勢屋の主人と番頭がはっと身じろぎした。茂七は素早く立ち上がり、座敷の襖をからりと開けた。そこには、驚きのあまり動くこともできず、身を強《こわ》ばらせて顔青ざめた、女がひとり座っていた。

だがその顔を見たとき、今度は茂七のほうが、すっと血の気の引く思いを味わった。

「これは失礼を」と、伊勢屋が謝っている。

「わたくしの家内の加世《かよ》でございます。どうぞお気を悪くなさいませんようにお願いいたします」

伊勢屋の声など、右から左に通過してしまっていた。ただ、「家内」という言葉だけがひっかかった。なるほどこの女はもう三十も半ばすぎの年代だ。

だが——歳《とし》のことをさておけば、その顔は、茂七がごく最近見たある顔に、生き写しと言っていいほどよく似ていた。肌の白さも、目元の涼しさも。

その顔とは——おはるの顔である。

もちろん金など受け取らず、俺がいいと言うまでは、角次郎一家には近づかないようにと厳重に釘《くぎ》をさして、茂七は伊勢屋をあとにした。

家に戻ると、権三が待っていた。

「これと言って、怪しいところなどないお店ですよ」と言った。「商いのほうも順調ですし、奉公人に不始末があったという噂《うわさ》も聞かない。鰹一匹に千両、ぽんと出せるくらいの身代《しんだい》はあるでしょう」

茂七はゆっくりうなずいた。

「廊下を歩いているとき、妙に線香の匂いが鼻についたんだが、家のなかの誰かがなんまんだぶに凝ってるとかいうことはないかい？」

権三は微笑した。「さあ、そこまでは、今日の調べじゃわかりません。でも、その線香は、きっと娘のためですよ」

「娘？」

「ええ、ひとり娘のおみつというのが、半年ほど前に亡《な》くなっているんです。疱瘡《ほうそう》だったそうで」

茂七はぐっと考え込んだ。

「なあ、権三。伊勢屋ってのは、相当な老舗《しにせ》かい？」

「はい、今の主人で六代目ですからね」

「先代夫婦はまだ元気なのか？」

「いえ、ふたりとも、もう亡くなっています。先代の主人のほうは三年前に、お内儀《かみ》のほうは、おみつが亡くなるほんの少し前に。ですから、葬式が続いたという意味では、このところ伊勢屋はついてなかったということになりますな」

ここでちらりと、権三は苦笑した。

「先代のお内儀はなかなか気性の激しい女だったようですよ。すぐ裏の雑穀問屋で話を聞いたんだが、今のお内儀、つまり嫁の加世を怒鳴りつける声が、一日中聞こえていたそうです。もともと加世は、伊勢屋に出入りしていた染め物屋の娘でしてね。加世にしてみれば玉《たま》の輿《こし》ですが、伊勢屋の側から見れば、庭先からもらった嫁ということになる。先代のお内儀は、それが面白くなかったようで、ことあるごとに加世をいじめていたらしい」

無言のまま腕組みをして、茂七は何度もうなずいた。

おおかた見えてきた。しかし、嫌な話だ――

五

その晩、茂七はひとり、富岡橋のたもとの路地に出ている稲荷寿司《いなりずし》屋台を訪れた。客の切れ目であるらしく、親父《おやじ》がひとりでぽつねんとしている。茂七が声をかける

と、

「おや、親分。今夜はお茶をひいているところです」と、薄い笑みを浮かべた。

近づいていって、茂七は驚いた。親父の屋台のすぐ後ろに、大きな酒樽《さかだる》をふたつ並べて、老人がひとり座っている。升がいくつか積んであるところを見ると、量り売りをしているらしい。

稲荷寿司屋の親父が、笑いを含んだ声で言った。

「私は酒を売りません。酒の扱いがわかりませんのでね。でも旨い料理にはやはり酒がほしいというお客さんの声が多いんで、こうして手を組むことにしたんですよ」

親父の声をよそに茂七は酒売りの老人の横顔を、じっと見つめていた。頬かぶりをして顔を背けているので、すぐにはわからなかった。が、よく見ると——

「おめえ、猪助《いのすけ》じゃねえか。そうだな？」

老人はゆるゆると頬かぶりをとると、茂七に向かって深く頭をさげた。

「身体《からだ》のほうはもういいのかい？」

「おかげさんで、丈夫になりやした」

今年の藪入《やぶい》りに、大川端《おおかわばた》で女の土左衛門《どざえもん》があがった。調べてみるとこれは担《かつ》ぎの醤《しょう》油《ゆ》売りのお勢《せい》という女だった。

猪助は、そのお勢の親父である。お勢が殺された当時は、身体を損ねて小石川の養生所に入っていた。

元気なころには酒の担ぎ売りをしていた男だ。では、こういう形で商いに戻ったというわけか。なるほどこれなら、病み上がりのじいさんが一日酒を担いで歩かなくても、この屋台のそばにいるだけで、充分な商いをすることができる。

（それにしても……）

茂七は稲荷寿司屋の親父を横目で盗み見た。

なんでこんなことを思い付いたのだろう？ どうやって猪助とつながりを持ったのだろう？

「なんになさいます、親分」

親父が声をかけてきた。茂七は彼の目を見返し、そこに手強《てごわ》そうな壁を見いだし、ため息と共に言った。

「あっちのじいさんから酒をもらうよ。おめえさんからは、鰹の刺身だ。昼間、たいそうな立ち回りをして買った鰹だそうだから、俺にも馳走《ちそう》してくれよ」

親父は眉毛《まゆげ》一本動かさず、「へい」と答えると仕事にかかった。稲荷寿司屋でありながら、椀物《わんもの》揚げ物おつくり何でもございがこの屋台の身上である。

「今夜の親分は、いくらかふさいでいなさるね」

茂七が升酒を一杯あけたころ、親父が声をかけてきた。

「ここへ来るときは、俺はいつだってふさいでるんだよ」

このところ茂七は、考えごとにいきづまったり、あるいは、考えごとの答えは出たが、それが気の滅入《めい》るような代物《しろもの》であったりした場合、決まってこの屋台に来るようになってしまった。

今夜は、そのあとのほうだ。明日になれば、嫌な役目が待っている。今頭のなかにあることに間違いがなければ、とてつもなく辛《つら》いことになる仕事が待っている。

「あまり酒をすごさないでくださいよ」

親父は言って、それきり黙った。

黙々と飲みながら、角次郎夫婦とおはると伊勢屋夫婦のことを頭から追い払うためにも、茂七はしきりと考えていた。この親父は何者だろう？　梶屋とどんなつながりがあるのだろう？

元は侍であったらしいという見当はついている。今日、糸吉が見た立ち回りなどからも、それは当たっているだろう。だがしかし、それと梶屋が、どうつながる？

頭のなかがふくれてきて、酔いのせいで舌も軽くなり、思わず、（なあ親父、あん

た梶屋の勝蔵とどういう関わりがあるんだい？）と、口に出してしまいそうになった
そのとき、稲荷寿司屋の親父が、

「おや」と声をあげた。屋台の向こう側で、手元に視線を落としている。

「なんだい？」

茂七は立ち上がって親父の手元をのぞきこんだ。

「めずらしいものですよ」と、親父が言う。

どんぶり鉢のなかに、卵がひとつ、割り入れてある。ひとつなのに、黄身がふたつある。双子の卵だった。

「卵汁をこしらえようと思いましてね」と、親父が言った。「稲荷寿司によくあいますから」

「そいつは嬉《うれ》しいな」と、茂七はうわのそらで言った。双子の黄身を見たとたん、明日こなさなければならない役目を思い出したのだ。

茂七はそそくさと稲荷寿司を食べ、卵汁をのんだ。どうも気勢があがらない。ほかの客たちがやってきて、長い腰掛けがにぎやかになってきたのをしおに、立ち上がった。

金を払って屋台を離れ、富岡橋に向かって路地を出ようとしたとき、右手の暗がり

のほうに、何者かの気配を感じた。足を止めて目をこらすと、格別工夫をこらして隠れている様子ではないその者は、茂七に気づいてちらりとこちらを見た。

梶屋の勝蔵だった。

いかつい顔に猪首《いくび》、手の甲にまで彫り物がある。顎《あご》のところには、昔よほど鋭い刃物で切られたのだろう、肉が一筋盛り上がった醜い傷跡が斜めに走っていた。

「こんなところで何してる」

茂七の問いに、勝蔵は視線をそらしただけで答えなかった。

「稲荷寿司を食ってきたらどうだ。うめえよ」

それにも、何も言わない。

「なあ、勝蔵。あの親父、何者だ？　おめえはあいつを知ってるのか？」

ややあって、死にかけた犬が、それでも縄張《しま》を荒らそうとする新参者の犬に向かって唸《うな》るような低い声で、勝蔵は答えた。

「俺は知らねえ」

「じゃあ、なんであいつから所場代をとらねえんだ？」

勝蔵は答えない。ただじっと、屋台の親父を見つめている。と思うと、いきなりくるりと踵《きびす》を返して、橋を渡って行こうとする。

「おい、勝蔵」

茂七の呼びかけは、空《むな》しく闇《やみ》に吸い込まれてゆく。

翌朝《よくあさ》夜明け前に、二日酔いで少しばかりぼうとした頭を抱えて、茂七は三好町の角次郎夫婦の住まいを訪れた。

これから河岸《かし》へ行くという角次郎を引き止め、夫婦ふたりを長屋の木戸の外に連れ出して、茂七は言った。

「俺がこれから訊《き》くことに、正直に答えてくれ。おめえたちが素直に返答してくれて、そのうえで俺の頼みを聞いてくれたら、俺はこの先、すべてを忘れて聞かなかったことにするから」

夫婦は心配そうに顔を見合わせ、寄り添った。

「なんでしょう？」

茂七は、斬《き》って捨てるような勢いで言った。

「おはるは、おめえら夫婦の子じゃねえな？　拾った子だろう。たぶん、生まれたばっかりの赤ん坊のころに。きっと、おめえらがまだ柳橋にいたころに」

おせんが見る見る真っ青になり、角次郎は彼女の肩を抱き締めた。

「正直に答える約束だぜ。どうだ？」

つっぱっていた肩をがっくりと落として、角次郎がうなずいた。

「……そうです」

「そうか」

「今までずっと隠してきました。おはる本人も、このことは知りません。柳橋のたもとに、古着に包まれて捨てられていたのを見つけたんです。可哀相《かわいそう》で……思わず連れて帰ってきちまいました」

泣くような声で、おせんが言った。「あたしらのあいだには子供ができなかったし、おはるは本当にあたしらの娘と同じです。こっちに移ってきたのも、あの子が捨て子だったってことを知ってる近所の人たちから、あの子を引き離したかったから……。だからうちの人には商いの縄張をかえてもらって、あたしも柳橋のお得意を全部捨てて」

「それでよかったんじゃねえか」

茂七は強くうなずいた。

「訊きたいのはそれだけだった。で、俺の頼みってのはこうだ。あの千両のことは忘れてくれ。あれはただの、金持ちの粋狂だ。まともな話じゃなかった」

夫婦はびくりと身体を震わせた。が、それは、金惜しさから生まれた反応ではなかった。おせんが茂七に詰め寄った。

「それ、どういうことです、親分さん。おはるのことと、あの千両が何か関わりがあるってことですか？」

茂七は彼女の目を見据えた。それから訊いた。

「もしもそうだと言ったら、おめえはどうする？」

「どうって？」

「おはるをとるか、千両をとるか」

いきなり、おせんが茂七の横面《よこつら》を張った。やってしまってから、彼女自身が驚いたらしい。ふらふらと倒れかかった。角次郎があわてて支える。

「それでいいよ、安心した」

ぶたれた頬がひりひりするが、茂七はにやりと笑った。

「おはるを大事にな」

言い置いて、背を向けた。

伊勢屋でも、昨日《きのう》茂七が去ったあと、ちょっとした騒ぎが起こったらしい。訪ねてゆくと嘉助が出てきて、お内儀さんが具合が悪くなられてお目にかかれないという。

「旦那《だんな》だけでもいい。ぜひ会いたいと伝えてくれ」

昨日と同じ座敷で、今度はあまり待たされずに済んだ。伊勢屋の主人はむくんだような顔つきで、まぶたが少し腫《は》れていた。

「てっとり早く言おう」と、茂七は切り出した。「棒手振《ぼてふ》りの角次郎の娘のおはるは、その昔——十三年前に、あんたら夫婦が柳橋に捨てた赤ん坊だな？」

伊勢屋の主人は答えなかった。しきりとまばたきばかりを繰り返す。

「おはるは、半年前に疱瘡《ほうそう》で死んだ、あんたらの娘のおみつの双子の妹だ。あんたのお内儀さんは、双子の娘を産んだんだろう」

まばたきをやめて、伊勢屋は小声で訊いた。「なぜわたくしどもが赤ん坊を捨てねばならないんでしょう」

「あんたら夫婦は捨てたくなかっただろう。だが、捨てないわけにはいかなかった。あんたの親——とりわけ気の強いあんたのおっかさんが、身分の低い娘を嫁にするからこんなことになるんだ、加世は畜生腹《ちくしょうばら》だったじゃないかと言って、相当騒ぎたてたろうからな」

伊勢屋の主人は首うなだれた。

「お武家さんや商人の家では、双子を嫌うもんだ」と、茂七は続けた。「子宝が一度にふたつ授かることを、どうしてそんなに嫌がるのか、俺にはさっぱりわからねえがな」

「わたくしだって辛かった」

　書かれたものを読むように、平たい声で伊勢屋は言った。

「この十三年、わたくしも加世も、どれだけ苦しんだことか」

「ところが、その怖いおっかさんはもういない」と、茂七は言った。「おまけに、あろうことかおみつも死んでしまった。あんたらは寂しくなり、捨てた赤ん坊を取り返したくなった。それでおはるを探し出した。よくまあ、半年足らずであの子を見つけることができたもんだな」

「居所はずっと以前から知っていました」と、伊勢屋は言った。「捨てたときに、どんな人が拾ってくれるかと、物陰に隠れて見ていたんです。あとを尾《つ》けて、身元も確かめていました。わたくしどもにも、そういう親心はあったんです」

　茂七は声を厳しくし、伊勢屋の顔を見据えた。

「じゃあ、あの千両はどういうつもりだった？　おはるの家に恵んでやるつもりだったのか？　それとも、そういう妙なことをやらかして、あの家とつなぎをつけたかったのか？　いきなり訪ねていって、おはる、おまえの本当の親はわたしたちだよと言って謝る勇気はなかったのか？　だから小細工しようとしたのか？」

伊勢屋は声を絞りだした。「あの子に幸せになってほしかった。棒手振りの魚屋の娘じゃ、あまりにかわいそうだ――」

「もう今でも充分に幸せだよ、おはるは。あの子はあんたらの子じゃない。あんたらの赤ん坊は、十三年前捨てられたときに死んだんだ。何千両払ったって、買い戻しはきかねえ」

伊勢屋は顔を伏せてしまった。

「あきらめるんだな」茂七はつっぱなすように言った。「それで相談だ。なあ伊勢屋さん、あの千両、角次郎に払ったと思って俺にくれないものかね？」

伊勢屋はさっと顔をあげた。顔面が紅潮していた。

「どういう意味です？」

「そうさな、口止め料だ」

「払わなければ、わたくしたちがしたことをおはるに話すというんですか？」

茂七は黙っていた。しばし無言で茂七を睨《にら》んでから、伊勢屋ははじかれたように立ち上がり、座敷を飛び出した。

しばらくして足音も荒く戻ってきた。昨日も見せられたあの袱紗《ふくさ》をひっつかんでいた。

「そら、これだ」

金を茂七の目の前に投げ出した。

「持って帰るがいい。この野良犬《のらいぬ》め！」

茂七はゆっくりと金を拾った。それから、それを袱紗に包み直した。伊勢屋はずっと、肩で息をしながらそれを見つめていた。

「じゃあ、伊勢屋さん」

茂七は包んだ袱紗を伊勢屋の前に滑らせた。

「俺はこれを、あんたに払う。俺からあんたへの、口止め料だ」

伊勢屋の口が、がくんと開いた。

「二度と、おはるにちょっかいを出すな。あの子が捨て子であることを、この世の誰にも口外するな。いいな?」

それだけ言うと、茂七はさっさと立ち上がった。

廊下を歩いていると、昨日と同じように線香の匂《にお》いがした。茂七はそこで足を止め、軽く合掌した。

それから数日後、おはるが茂七の住まいを訪れた。

「今度のことのお礼ですって、おとっつぁんとおっかさんが」

彼女が差し出したのは、一匹の見事な鰹だった。

「もしもよろしければ、おとっつぁんがこれをさばきにうかがいますけどもって言ってました。どうします、親分？」

にっこり笑って、茂七はおはるに言った。

「頼むよって、おとっつぁんに伝えてくれ。おっかさんによろしくな」

脇《わき》でかみさんが呆《あき》れている。

「よくわからないわねえ。あの鰹を千両でどうのこうのってことでしょう？　おまえさん、何もしなかったじゃないの」

いや、一発張り飛ばされたと、茂七は心のなかで思った。

太郎柿《がき》次郎柿《がき》

一

回向院《えこういん》の茂七《もしち》の住まう二階家には、子猫の額ほどの広さの庭がついている。今年、その庭に立つ柿《かき》の木が、初めて実をつけた。

茂七とかみさんがこの家に住みついて、足かけ十五年になる。柿の木は、前の借家人が植えていったものだそうで、茂七夫婦が越してきたときには、まだ茂七の頭の高さほどの丈しかなかったが、一人前に枝を伸ばし葉を繁《しげ》らせて、いっぱしに柿の木の渡世を張っていた。この分なら、二、三年もすれば最初の実をつけるんじゃないかと、楽しみに思ったものだ。

ところがこの柿の木は、年々歳々、丈ばかりは見あげるほどに生長してゆくものの、幹はひょろひょろとして、葉の繁り具合なども、どうも他所《よそ》の柿と比べると薄いようだった。土地が悪いのか、日当たりがよくないのか、いずれにしろ、もうこいつが実をつけることはないんじゃないかと、十年を越えたあたりで、茂七もあきらめをつけた。

　そんなところへ、十五年目にして、ぽっかりと青柿がぶらさがったのである。俗に桃栗《くり》三年柿八年というが、世間様の柿の倍近い年月をかけてようやっと大人になったというわけで、

「どうもこいつは、えらく晩稲《おくて》の柿だったようだな」

「その分、きっと甘いわよ」

などと、毎日毎夕、枝を見あげる茂七夫婦であった。

　この秋、茂七の身辺は、凪《なぎ》のように平和な状態が続いていた。岡っ引き稼業《かぎょう》には、時々こういうことがある。有体《ありてい》に言って、暇である。

　たいていの岡っ引きがそうであるように、茂七のところでも、かみさんが茂七とは別の生業《なりわい》を持っている。彼女は若いころからお針子として身を立てていて、今もそちらのほうがなかなか忙しい。とりわけ、単衣《ひとえ》から袷《あわせ》にかわる前の秋のこのころは、仕立物の仕事の多い時期だ。自然、家でお茶をひいている茂七親分は、かみさんの指図に従ってしおらしく糸巻きを手伝ったり、仕付け糸を抜いたり、忙しいかみさんにかわって水汲《く》みや掃除をしたり、庭に七輪《しちりん》を出して秋刀魚《さんま》を焼いたりと、すっかり隠居気分になっていた。

もっとも、あまりに暇で呑気《のんき》な暮らしにも、ちょいと飽きがきてはいた。それだから、かみさんが仕事をしながらひょいと口にした、日ごろなら聞き流してしまうような町の噂《うわさ》が、心にひっかかったのかもしれない。

二

「霊感坊主《ぼうず》だと？」

かみさんは、持ち込まれた渋い藤色《ふじいろ》の鮫小紋《さめこもん》に、どの胴裏《どううら》と裾回《すそまわ》しをあわせようかと、座敷いっぱいの絹の海の真ん中に座って首をひねっているところだった。茂七はかみさんの仕事部屋の敷居近くにあぐらをかいて、柱にもたれ、かみさんの試す色の取り合わせに、ときどき半畳《はんじょう》を入れていた。

そこへいきなり、霊感坊主とやらの話である。正確には、かみさんは、「あら、この取り合わせだと、こないだの霊感坊主のときに上総屋《かずさや》のおかみさんが着てたのと同じだわ」と言ったのだ。

茂七は柱から背中を離して身を乗り出した。

「なんだい、そりゃ」

「これですよ」と、かみさんは鮫小紋に濃い紫の裾回しをあわせてみせる。「これじゃあねえ、無難だけど面白くないでしょう。だいいち、派手だわね。上総屋のおかみさんは若づくりが好きだから――」

上総屋は深川西町《ふかがわにしまち》にある大きな糸問屋で、かみさんはそこから糸を仕入れるし、そのおかみはかみさんの上得意客のひとりである。しかし、いないと何を言われるか知れたものじゃない。

「着物の話じゃねえよ。その、霊感坊主とかいうほうだ」

「あらまあ」と、かみさんは笑った。「あたし、そんなこと言いました？」

「言ったとも。どこかの寺に、霊験《れいげん》あらたかな坊さんが現れたとか、そんな話かい？」

かみさんは笑いながら首を振った。「違いますよ。坊主ったって、お寺さんのことじゃあないの。子供です。子供」

「坊やのほうの坊ずかい」

「そうなの。ほら、ついこのあいだ、上総屋さんに振《ふ》り袖《そで》を届けにいったでしょう？」

上総屋のひとり娘がこの秋見合いをするとかで、新しい着物の仕立てを頼んできたのである。

「開けてびっくりの歌舞伎《かぶき》模様だったなあ」

「そうよ、あれには往生したわ」

今、かみさんが頭をひねっているのもそういう口なのだが、かみさんのところに頼んでくる金持ちの客は、たいてい呉服屋をいっしょに連れてくる。客あしらいの巧《うま》い番頭が、小僧に山ほどの反物を担《かつ》がせてやってきて、ここでぱあっとお座敷を広げ、表地から裏地、帯、羽織など、反物の段階で選んで決めてゆくのである。客が決めかねるときはかみさんに判断を任せ、呉服屋のほうでも、候補にあがった反物をいくつかかみさんの手元に預けてゆく。呉服屋の立場からすれば、証文一枚で商売物を預けてゆくという思い切ったことができるのは、相手が回向院の茂七のかみさんだからであろう。

先に上総屋に頼まれた振り袖も、そういう手順で受けた仕事だが、呉服屋が担いできた反物を見るなり、上総屋の娘が指さして選んだのは、地が海老茶色《えびちゃいろ》の菊寿染《きくじゅぞ》めのそれだった。今よりひと時代前に、歌舞伎役者の二代目瀬川菊之丞《せがわきくのじょう》の人気にあやかって流行《はや》り始めたもので、菊花《きっか》と寿《ことぶき》の字を交互に染め出した、一見してわかる派手な柄である。

「あれは、たしかにずっと流行りではあるけど、今はもっぱら帯の柄になってるものよ。それをよくもまあ、染めて売るほうも売るほうだけれど、買うほうも買うほうだと思ったわねえ」

上総屋の娘は、人目に立つ美貌《びぼう》だし、派手な着物がよく引き立つ大柄だから、娘はぜひにもこれをと言うし、呉服屋はもみ手して勧めるし、母親もまんざらではない顔だし、さあ困ったのはかみさんである。そんな派手な着物に、どんな帯や胴裏をあわせよう。

「まあ結局、ほかのところは地味に抑えてなかなかいいものにはなったから」と、かみさんは続けた。「あたしも、届けに行くのに気が重いってことはなかったの。上総屋のお嬢さんの派手好きは先《せん》からのことだしねえ。なんせ、衣装比べが道楽なんだから。母親譲りなんでしょうけど」

ところが、勝手口でいくらかみさんがおとないを入れても、上総屋はうんともすんとも応じない。あがりかまちに乗り出すようにして何度も呼びかけて、ようやく走って出てきた女中にどうしたのと訊《き》いてみると、今おかみさんもお嬢さんも、着物のことなんか忘れているようですという。

「それがね、霊感坊主だったわけですよ」

着物の仕立ての依頼が来たのは梅雨明け早々のことだったのだが、上総屋では、そのすぐあとから、屋敷のなかでひんぴんと鬼火が飛び交い、畳が焦《こ》げたり障子が焼けたりと、えらい騒ぎが起こっていたのだという。

文字通り、茂七はふふんと鼻で笑った。かみさんも笑った。

「そりゃあおまえさんは、商人の家で変事が起きたら、それは、十《とお》のうち九つまでは奉公人の仕業だって言ってる人だからね」

「そういう変事の起こる商人の家は、奉公人に辛《から》い家だってこともな」

人に使われる身の者——とりわけ商家の奉公人などは、主人一家に生殺与奪の権利を奪われて、何をされても手も足も出ない立場にある。だが、身体《からだ》は従っても、心は生きているものだ。奉公人たちは時として、主人の家の財物をわざと損ねて、それによって積もり積もった鬱憤《うっぷん》を晴らすことがある。むろん、わざとと言っても、本人はそれと承知してやっているのではなく、心が勝手にそうするのであるが。

それだから、茂七は、商人の家の些細《ささい》な小火《ぼや》や小さな盗難などは、あまり目くじらたてて追いかけないようにしている。茂七自身はてんからそんなことを信じていなくても、なんぞ憑《つ》き物《もの》のせいかもしれませんよと言ったりすることもある。憑き物を払うには、徳を積むのがいちばんだ、商いを正しく、目下《めした》の者に篤《あつ》く優しくって具合にね――という方向に持ってゆくのである。

「だからあたしもね、ははあ、上総屋さんにもとうとう鬼火が出たか、そりゃあ、だいぶ恨まれてるもんねえなんて、頭のなかでは考えてたんだけど」と、かみさんは続ける。茂七はうんうんと頷《うなず》く。上総屋は、娘には衣装比べの道楽をさせても、女中には日に二度の飯さえ食わせないような商人なのである。このことはつとに有名だ。

「でも、上総屋さんのほうは大騒ぎなわけよ。鬼火が出るのは何かの祟《たた》りに違いないってわけでね。お寺さんを呼んだり呪《まじな》いさんを頼んだり……」

が、いろいろやってもいっこうに鬼火はおさまらない。

「で、頭を抱えてるときに、どこからか知らないけどお嬢さんが、この深川に、とても霊感が強くて、憑き物をよく落とすし、失《う》せ物《もの》は探すし、人の寿命まで言いあてる子供がいて、えらく評判になってるってことを聞きこんできたのよ。それで早速お呼びしたっていうことだったのね」

「なんていうんだい、その餓鬼は」

「日道《にちどう》」

「へえ?」

「日道さまって呼ばれてるのよ。あたしはちらりと見ただけだけど、白装束を着てたわね。まだ十《とお》にもなってない男の子よ。ふた親が付きそって、それこそおひいさまみたいに大事に大事に扱ってたわ」

ふうんと唸《うな》りながら、茂七は腕組みをしなおした。あまり、気に入る話ではない。

「どれぐらいの見料《けんりょう》をとるんだ、その日道ってえ餓鬼は」

「占い師じゃないから、見料ではないだろうけど、さて……」かみさんは首をかしげる。

「そこまでは聞かなかったけど、一両二両じゃないでしょう。もともと、拝み屋は高《た》価《か》いものね」

茂七は黙って頷いていた。ぜんたい、面白くない話だ。場合によっては、ちょっと上総屋に顔を出してみたほうがいいかもしれない。

煙草《たばこ》が吸いたくなって、茂七は立ち上がりかみさんの仕事部屋を出た。呉服屋から預かり物はするし、仕事が仕事だから、この座敷ではいっさい煙草は厳禁である。

煙管《きせる》を片手に庭へ出てみた。見あげると、枝の柿の実に、西日が照り映えて光っていた。いちばん上の枝のやつは、火事見舞いまであと半丁のところにいる金時《きんとき》――というぐらいの色合いになってきている。

その夜。

かみさんが今夜は夜業《よなべ》をするというので、茂七は富岡橋のたもとまで出かけることにした。一杯ひっかけるついでに、かみさんに稲荷寿司《いなりずし》を買ってきてやろう。

深川富岡橋のたもとに、かれこれ十月《とつき》ほど前から、稲荷寿司屋が屋台を出している。正体の定かでない、茂七と同年配の親父《おやじ》がひとりで切り回し、稲荷寿司だけでなく椀《わん》物《もの》焼き物まで客に出し、しかもそれがなまなかな料亭では太刀打ちできないようないい味だ。

この屋台の唯一《ゆいいつ》の欠点が、酒が出ないということだった。ところが、この春先に、猪助《いのすけ》という担ぎの酒売りの老人が、稲荷寿司屋の隣に腰を据えて商いをするようになり、この欠点も立ち消えとなった。茂七は、どうも昔は侍だったらしい――それも、ひょっとするとかなりの身分だったかもしれない――稲荷寿司屋の親父に興味をひかれ、先《せん》からたびたび足を運んでいたのだが、そのうえ酒まで飲めることとなって、今ではすっかり常連客となってしまっている。

それに、茂七がお役目のことで頭を悩ましているとき、この親父がぽつりともらす呟《つぶや》きに、はっと目が覚めたような気分にさせられることが、ままあるのだ。また、この屋台はすっかり近隣の名物となっており、いつ出かけても腰掛けが空いていることがないというほどの繁盛《はんじょう》ぶりで、そのために町の噂《うわさ》や風聞がよく集まる。茂七にとっては、これも有り難いことであった。実を言えば今夜も、「日道」とかいう餓鬼の噂を、屋台の親父も知っているかもしれないと思ったので、来てみる気になったのだった。

富岡橋のたもと、橋から北へちょっとあがって右に折れた横町のとっつきだ。稲荷寿司の色に似た、淡い紅色の掛行灯《かけあんどん》がともされている。冴《さ》えた月の丸い夜、提灯《ちょうちん》無しでも足元は明るく、茂七は懐手《ふところで》をしてぶらぶら歩いていったのだが――

今夜は、明かりが見えない。

いくぶん風の強い夜だったから、横町の奥のほうへ引っ込んだのかと近づいていってみたが、やはり明かりはなく、誰もいない。むろん長い腰掛けも出ていないし、そこらの地面を探ってみても、火を焚《た》いた跡も、水を使った跡も残っていない。猪助も、老人ひとりでは商いにならないからだろう、姿が見えなかった。

(今夜は休みか……)

知り合いになってからこっち、今までこういうことは一度もなかった。茂七は常連ではあるが、決まった日にちに来る客ではない。思いついたときにぶらりと寄るのだ。それでも、屋台の休みにぶつかったことはなかった。

何かあったのだろうかと、ちらと思った。それと同時に、梶屋《かじや》の勝蔵《かつぞう》の顔を思い浮かべた。

梶屋とは黒江町《くろえちょう》の船宿の名前だが、実は地元のならず者の本拠地であり、主人の通称「瀬戸の勝蔵」は、茂七にとっては、懐に呑《の》んだ両刃《もろは》の剣《つるぎ》のような存在である。あれば便利なこともあるが、危険なことには違いない。

ところがこの両刃の剣は、稲荷寿司屋の親父のことにからんで、近ごろ、別の意味で茂七の腹をちくちくと刺激する。深川一帯の大小の商人たちから所場代《しょばだい》を取りあげて世渡りしている梶屋の連中が、この稲荷寿司屋に限っては手を出そうとしない。一度など、お先っ走りの子分がひとり、親父に叩《たた》きのめされて逃げ帰っているのに、勝蔵はその仕返しさえしようとしない。

おまけに、この春のちょうど初鰹《はつがつお》のころ、茂七は屋台を訪れたとき、物陰からじっと親父を見つめる勝蔵の姿を見かけてしまった。喧嘩《けんか》を売るような目つきをしていながら、身体の両脇《りょうわき》で拳《こぶし》を握りながら、勝蔵は一歩も動かず、闇《やみ》のなかで固まってしまったかのように突っ立っていた――

謎《なぞ》もあれこれあるけれど、とりあえず今夜の酒は惜しいことをした。かぶりをひとつ振り、かみさんへの土産はどうしたものかと思いながら、茂七は踵《きびす》を返した。

三

翌日、朝飯を食うとすぐに、茂七は北森下町《きたもりしたちょう》のごくらく湯へと出向いた。この湯屋では、茂七の下っ引きのひとりである糸吉《いときち》が厄介になっている。

糸吉はまだ二十歳《はたち》の若者だ。普段は、ほとんど住み込み同然の形でいっしょに暮らしている。茂七の家には糸吉の部屋もちゃんとある。だが、今のように暇なときは、糸吉本人が、そういうぶらぶら暮らしに気がひけるらしい。どこからどう手づるをたどったか知らないが、最近になってこのごくらく湯を見つけてきて、暇なときにはここで働くと言い出したのである。

「湯屋なら、釜焚《かまた》きだの薪割《まきわ》りだの、やることはいろいろあるでしょう。男湯の階上《うえ》で寝起きさせてもらえば場所もいらねえし。それに、お役目の役にも立ちそうだしね」

たしかに、湯屋もまた町の噂が集まるところだ。特に男湯の二階は公然たる遊興場所だし、身分に関係なく大勢の人びとが出入りする。茂七が打診してみたところ、ごくらく湯のほうでも糸吉に顔を出してもらうことを望んでいるらしい。一種の用心棒というところだろうか。

という次第で、茂七がぶらりと寄ってみると、糸吉は、男湯の階上にいて、寝転がって黄表紙を読んでいた。八丁堀《はっちょうぼり》の旦那衆《だんなしゅう》が朝湯をつかいにきたあとの、この時刻は暇である。

「女子供の読むようなもんを読んでるじゃねえかい」

茂七が声をかけると、糸吉はへへえと笑いながら起きあがった。「あれ、親分、どうしたんですこんな時分に」

なに差し迫ったことじゃねえんだがと前置きして、茂七は日道の件を切り出してみた。早耳の糸吉なら、何か知っているかと思ったのだ。

「ああ、それなら」と、糸吉は目を輝かせた。「凄《すげ》えって、もっぱらの噂ですよ」

「何が凄えんだい」

「日道ってのは、御船蔵《おふなぐら》の裏の三好屋《みよしや》って雑穀問屋の倅《せがれ》なんですよ。たしかまだ十《とお》だったかな」

「うん、うちのやつもそう言っていた」

「本当は長助《ちょうすけ》って名前なんですがね、三つになるかならないころから不思議なことをいろいろおっぱじめて、親もびっくりして、それでとうとう日道って名前までつけちまったんで」

「白装束ってのは本当か?」

糸吉はくすくす笑った。「金をもらって憑き物落としゃ失せ物探しを始めるようになってからのことですがね。まああれは、役者の舞台衣装みたいなもんでしょう」

茂七は周囲を見回し、煙草盆を見つけて引き寄せると、懐から煙管を取り出した。煙草盆はきれいに灰を捨て掃除をしてある。これも糸吉の仕事かもしれない。

「親がびっくりしたことってのは、どんなのだ? 俺は、日道って餓鬼がどういう離れ業をやってのけるのか、詳しいところは知らねえんだよ」

糸吉は座りなおすと、口上を述べる読売《よみう》りのように、身振り手振りで話しだした。

「最初は、その年の小豆や大豆の出来不出来を、半年も前に言いあてたっていうんですよね」

雑穀問屋の倅らしい話だ。

「おめえはどうしてそんなことがわかるんだって訊《き》いたら、どういうわけかわかるって。十日先くらいまでだったら、天気だってあてられるってね。実際、本当にあててみせたそうです」

茂七はふうと煙を吐いた。「まぐれじゃねえのかい?」

「夕立だの、雷まであてるっていうんだから。そうそう、三年くらい前に、浅草寺《せんそうじ》の山門のところの並木に雷が落ちたでしょう。あれも、日道は言いあててたそうです。前の日の昼飯時に、明日の夕方浅草寺の並木の門から数えて四本目の桜に雷が落ちるよって」

茂七は苦笑した。「ほかには？」

糸吉はぐいと指を突き出した。「これが凄《すご》い。火箸《ひばし》を曲げる」

「そりゃあ、相撲取りならできるだろう」

「力で曲げるんじゃねえんです。指先で撫《な》でてるだけで、こう——ぐにゅうと曲がっちまうそうなんで」

「憑き物落としはどうなんだい？」

「三好屋の取引先のおかみが、狐《きつね》に憑かれたってね。座敷牢《ろう》に入れられてたのを、ひと晩拝んで治しちまった」

「失せ物探しは？」

糸吉は興にのってきた。「さる直参《じきさん》旗本の屋敷から、代々伝わる家宝の掛け軸が失《な》くなった。お家の一大事とばかりに探しまくったが出てこねえ」

「ふんふん」

「日道の評判を聞きつけて、藁《わら》にもすがる思いで頼んでみると、なんてことはない、若い奥方がしまい場所をかえて忘れちまっただけのことだったんですが、それでも、日道は家に入るなり迷わずそこへ歩いていって指したって。天袋ですけどね。この話にはおまけがあるんで。この奥方は元は町人で、かなりの身代《しんだい》の商人の娘なんですけど、いったんこの旗本の親戚筋《しんせきすじ》へ養女にいってから嫁入りしてきた人なんです」

侍の家では、町人の社会から嫁をとるとき、よくこういう手順を踏む。一度養女に入れれば、その娘は武家の娘となるからだ。

「もともと、勝手向きの苦しい家だったんで、持参金欲しさに商人の娘をもらったんでしょう。けどね、その騒ぎで、命にもかえ難い家宝を天袋に押し込めるとは何事かって、隠居が怒りだして、結局離縁になっちまったんです。手討ちにされないだけ幸せに思えって、着の身着のままで追い出されてね。若夫婦の夫婦仲はよかったんで、可哀相《かわいそう》だったたって噂ですよ」

茂七は煙管をひねくり回しながら、ゆっくりと頷《うなず》いた。糸吉が、目ざとく言った。

「親分、日道みてえな族《やから》は嫌いでしょう？」

「気にくわねえな」

「でも、さっきの狐憑きのおかみみたいに、助けられた連中もいますからね」

「たんまり、金をもらうんだろう、日道は」

「三好屋は、今じゃ商いのほうは番頭に任せて、ふた親とも日道に付きっ切りですよ。代替わりしたばっかりだっていうのにね。それでも、お店が傾いてるって噂は聞かないし、日道はいつ見てもしみひとつない白装束で、どこへも駕籠《かご》で乗りつけるっていうんだから、儲《もう》かってることは確かでしょう」

ますます、茂七は嫌な気分になってきた。煙草の灰を落とし、煙管をしまいながら、糸吉に言った。「これからしばらくのあいだ、気をつけて日道に関わる噂を集めてくれよ。まだ餓鬼なんだから、操り手はふた親なんだろうがな。日道が失敗したという話、日道に騙《だま》されたという話があったら、突っ込んで聞き出しておいてくれねえか」

糸吉はふたつ返事で請け負った。たまにはうちに飯を食いに戻ってこいと言い置いて、茂七は階下《した》へ降りた。

ごくらく湯を出て掘割へ向かい、北ノ橋の手前まで来たところで、右手のほうから「親分、親分」と呼ぶ声がする。権三《ごんぞう》の声だった。着流しの裾《すそ》をひるがえしながら、急ぎ足でこちらへやってくる。

「おかみさんに訊いたら、糸吉のところだというので」

権三も茂七の下っ引きだが、年は四十を越えている。元は大店《おおだな》の奉公人あがりで、普段は茂七の住まいのすぐそばの長屋に一間《ひとま》を借り、気楽なひとり住まいをしている。この権三も、そろばんはできるし帳面付けはできるし人あしらいは巧《うま》いしで、住まっている長屋の差配にすっかり頼りにされ、お役目が暇なときにはそちらのほうを手伝って暮らしの足しにしていた。

「どうしたい？」

「殺しです」と、権三は短く答えた。「亀久橋《かめひさばし》のそばの船宿で、男がひとり殺されました。楊流《ようりゅう》って宿ですが、どうでも内々《ないない》に収めて欲しいってんで、おかみが気がふれたみたいな勢いで親分を探しまわってますよ」

亀久橋なら仙台堀にかかる橋、北森下町よりももっと南だ。茂七はくるりと向きをかえ、権三と連れ立って歩き出した。

「気の毒だが、殺しとあっちゃそうはいくめえ。下手人をあげねえことには話にならないしな」

「それが」権三は、持ち前の滑らかな声で言った。「下手人はもうあがってるんです」

茂七は思わず立ち止まった。「なんだって？」

「早い話が、殺しをしたあと、下手人が自分から帳場へ降りてきて、今人殺しをしたからって言ったそうなんです。そのままおとなしく待ってるそうで」

船宿「楊流」は、亀久橋を渡ってすぐの、大和町《やまとちょう》の一角にあった。堀に面して、宿の名前の由来なのか、二階家の屋根まで届くほど丈が高く、ほっそりとした柳の木に囲まれて建っている。青葉のころなら、この柳もさぞかし美しいのだろうが、枯れ葉の舞い散る今の季節では、血色のよくない幽霊がおろおろしているのを見るようで、なんとも興醒《きょうざ》めに、茂七には思えた。

楊流のおかみは、小柄で勝ち気そうな目元のきりっとした女だったが、たぶん四十を越えているだろう年齢に似合わぬ甲高い声の持ち主で、茂七の顔を見るなりしゃべりだした。

「お願いですよ親分さん、うちとしちゃこんなことに巻き込まれちゃ商売あがったりだしあたしは借金しょってる身だし亭主は行方知れずだし——」

まあまあと両手でおかみをなだめて、茂七は訊いた。「で、仏さんと下手人はどこだい？」

「階上《うえ》です。階段をあがったすぐ右手の座敷で、うちじゃいちばんいい部屋なんですよ。畳替えだってしたばっかりだし……」

どうでも、おかみは愚痴をこぼしたいらしい。

「今は、誰がいっしょにいる？」

「うちの船頭がひとりついてます。逃げる気遣いはなさそうだけど、やっぱり心配ですから。いちおう、しごきで手首だけしばったけど、文句も言わないし、眠ったみたいに目をつぶってじいっとうなだれてます」

茂七は二階にあがる階段の一段目に足をかけた。権三を促して、先に階上にあがらせる。権三も心得たもので、足音もたてずに階段をのぼっていった。

「ここのほかには、階上にあがる階段はねえんだな？」

「ええ、ありません」

「じゃあ、しばらくは大丈夫だな。先に訊かせてもらおう。おかみ、殺された客はどこの誰だい？」

おかみは一瞬ぐうと口をつぐみ、それから「知らない」と言おうとした。が、茂七は笑ってそれを止めた。

「俺はここへ足踏みするのは初めてだが、評判は聞いて知ってる。楊流は、一見《いちげん》の客を入れるようなところじゃねえ。少なくともおかみ、おまえさん、仏か下手人のどっちかを知ってるはずだ」

おかみは目を伏せた。わずかに顔をしかめながらくちびるをなめていたが、やがてほっと息を吐いた。

「嘘《うそ》をついたってしょうがありませんね。ええ、知ってますよ。よろずやの清次郎《せいじろう》さんです」

「よろずやってのは？」

「猿江《さるえ》神社の近くにある、小間物問屋です。清次郎さんはそこの手代さんですけどね、商いのできる人なんでしょうね、旦那さんにも可愛《かわい》がられてるみたいですよ」

手代風情《ふぜい》が、昼日中《ひるひなか》お店を抜けて船宿にしけこむなどとは、たしかに、よほど旦那にひいきにしてもらっているか、よほど図々《ずうずう》しいか、どちらかでないとできないことだ。

「ここへ来るのは初めてかい？」

「いえ、もう四度目くらいです」

「いつもこの時刻かい？」

「そうですね、たいがいは」

「相手は決まった女かい？」

おかみはちらりと微笑した。「いつもね」

「じゃあ、その女が清次郎を殺したというわけか」

するとおかみは目を見開いた。「とんでもない。清次郎さんを殺したのは女じゃありませんよ」

「女じゃねえ？　じゃ、男か？」

「ほかにあります？」

「ふたりきりかい？」

「はい」

落ち着き払って、おかみは言う。

「清次郎さんは、今日は兄さんを連れてきたんですよ」

「兄弟か――」

おかみは頷く。「清次郎さんは、もとは川越《かわごえ》の出なんです。次男坊だから江戸へ奉公に出されて、兄さんが家を継いだんだって。水呑《みずの》み百姓だから、奉公に出されてかえってよかったって、言ってたことがありますよ」

「じゃ、貧乏な兄貴が弟を訪ねて出てきたわけか」

「そうでしょうね。兄さんて人は、見るからに粗末な身形《みなり》だったもの。髷《まげ》のなかまで泥水が染《し》み込んでるようなね」

おお嫌だ――というように、おかみは身震いをしてみせた。江戸の船宿のおかみにとっては、近在の百姓など、そんなものでしかないのかもしれない。

あとは本人にじかに訊いたほうが早い。茂七は一段抜かしで階段をあがっていった。目的の部屋は唐紙《からかみ》が開け放してあり、廊下からもよく見えた。出入口のところに権三が正座し、窓にもたれて若い船頭がひとり、困ったような顔をしている。そして座敷のほぼ真ん中に、羽織をきちんと着た町人髷の男が、座った姿勢のまま上半身を座卓の上にうつ伏して倒れている。この姿勢では頭の後ろと背中しか見えないが、前に投げ出された両手の指が、座卓をひっかこうとするかのように歪《ゆが》んでいることが、死に際《ぎわ》の苦悶《くもん》のほどを物語っていた。

ひとつ、茂七の目をひいたことがある。死体のすぐ脇《わき》に、小綺麗《こぎれい》な箱がひとつ、ふたをとられてひっくり返っているのだ。どうやら菓子折りであるらしい。中身が飛び出して畳の上に散らばっている。色も形もとりどりの干菓子《ひがし》であった。

目を転じてみると、弟を殺した兄である男は、押し入れの唐紙の前に両足を投げ出して座り込み、両手を背中でくくられたまま、首をうなだれて目を閉じていた。権三が黙って茂七に頷きかけた。

茂七は若い船頭に礼をいい、彼を部屋から出した。唐紙を閉め、男のそばまでかがんで近づくと、目の高さをあわせて呼びかけた。

「おいおめえ、名前はなんていう？」

男は目を開けた。白目の濁った、生気の感じられない目だった。

「俺はこの土地の岡っ引きで、茂七という者だ。おめえがここで弟を殺《あや》めたというから、駆けつけてきた。ここで死んでいるのは、たしかにおめえの弟、よろずやに奉公している手代の清次郎か？」

男は、のろりと首を動かして頷いた。

「おめえは清次郎の兄貴で、川越から弟に会いに出てきたらしいな。ここで会う約束だったのか？」

また、頷く。たしかにおかみの言ったとおり、垢《あか》じみて擦り切れかかった着物と股《もも》引《ひき》、首に掛けた手ぬぐいの端はぼろぼろだ。身体《からだ》からは汗の匂《にお》いがする。

「おめえの名前は？」

すう……と音をたてて息を吸い込み、乾いたくちびるをひきはがすようにして、ようやく男は答えた。「朝太郎《あさたろう》」

「おめえが弟を殺したというのは確かか？」

「へい」

「殺したあと、おかみに、人を殺めたと知らせにいったのもおめえか？」

「へい」

「どうして弟を殺したりした？」

朝太郎の瞳《ひとみ》が、とろんと脇に動いた。大儀そうに首を動かすと、いやいやをした。

「わからねえのか？」

朝太郎は首を振り続ける。

「言いたくねえということか？」

朝太郎は頷いた。そして、言った。「あっしがやりました。理由は訊かねえでくだせえ。あっしがやりました。ひっくくっておくんなせえ」

彼の口調は、のし棒でのしたみたいに、平たくて抑揚がなかった。茂七はひと膝《ひざ》乗り出した。

「そうはいかねえんだ。おめえがどうしてこんなことをやったのか、その理由がわからねえことにはどうにもならねえ。おっつけ検使のお役人さまもおいでなさる。俺のようなやわらかい訊き方はしてくれねえぞ。今のうちに、有体《ありてい》に話しておいたほうが身のためだ」

朝太郎には、茂七の言葉が聞こえていないかのように見えた。視線はどろりと下方にさがったまま、譫言《うわごと》のように繰り返す。

「あっしがやりました。ひっくくっておくんなせえ」

ちょうどそのとき、階段の下のほうから、かしましい女の声が聞こえてきた。おかみと誰かが言い合いをしているらしい。権三に合図を送ると、彼はつと立って階段のほうへ向かったが、すぐに階段を駆けあがってくる軽い足音が聞こえ、権三が後退《あとずさ》りながら座敷のなかに引っ返してきた。

権三を突き飛ばしかねない勢いで座敷のなかに飛び込んできたのは、若い娘だった。茂七は最初、誰だかわからなかった。黒襟をかけた半四郎鹿《はんしろうか》の子《こ》の小袖《こそで》の裾《すそ》から、派手な京友禅の腰巻をぞろりとのぞかせている。こりゃまあ洒落娘《しゃれっこ》だと思っていると、彼女が大きく口を開いて、

「清次郎さん！」

と叫ぶなり、うつ伏せの男に飛び付いた。その声を聞いた瞬間、茂七は彼女が上総屋の娘おりんであると気がついた。

「上総屋のお嬢さんじゃねえか」

どうしてあんたがここに――と言いながら、茂七が彼女に近づいたそのとき、ほんの一瞬の隙《すき》をついて、朝太郎が素早く立ち上がった。さっきまでの、牛のような鈍重な仕種《しぐさ》からは想像もつかないような身軽さで、さあっと窓のほうへと飛んでゆく。

しまったと思う間もなかった。茂七より一瞬早く、権三が朝太郎に飛びついて着物の裾を捕らえようとしたが、薄い布地は軽くはためき、権三の指は空《くう》をつかんだ。

「兄弟でなけりゃ、よかったのに」

表の空に向かって、朝太郎は吠《ほ》えるようにそう言うと、開け放たれた窓から外へと躍り出た。茂七の目に、揺れる柳の枝を背景に、秋の日差しのなかへと飛び出した朝太郎の姿が、くっきりと黒い影になって焼きついた。

どすんと、鈍い音がした。

茂七は窓に駆け寄った。二階の高さだ、死ぬとは限らねえと思ったが、一目見るなり、無理とわかった。朝太郎は頭から落ちたのか、生身の人間なら到底できない格好に首をねじ曲げて、さっきまでと変わらないうつろな目を、茂七のほうへと向けていた。

駆け降りた権三が、朝太郎のそばに跪《ひざまず》く。すぐに顔をあげて、駄目だと首を横に振った。

茂七の傍らで、おりんがわあっと泣き出した。

四

楊流での殺しは、結果的には、おかみが望んだように、内々《ないない》のこととして片付けられた。多少、時間が前後しただけで、無理心中みたいなものだと言えば言える。

上総屋のおりんは、涙の嵐《あらし》が収まると、茂七の尋ねることに、はきはきとよく答えた。あれこれ工夫してお洒落に熱を入れるくらいの娘だから、頭はいいのである。

「それじゃ、清次郎が、おまえさんが秋に見合いをすることになってた相手だっていうのか？」

おりんはこっくりと頷いた。「おとっつぁんとおっかさんから話を聞いたとき、お見合いまで待つなんて気の長いことは嫌だと思って……こっそり、よろずやへ会いに行ってみたんです」

幸い、清次郎もおりんを気に入り、密《ひそ》かな逢瀬《おうせ》が始まった。

「どうせ所帯を持つふたりなんですから」と、おりんはえらくあっさりしている。

「しかつめらしくいい子ぶって、お見合いまで待ってることなんてないと思って。清次郎さんは、商いのことで外へ出る用も多かったから、わりと気ままにできたんです」

そもそも、この縁談をおりんの元に持ち込んできたのは、よろずやの主人だったという。清次郎は、奉公人たちのなかでも優秀で、早くから頭角を現していたのだそうだ。が、よろずやには後継ぎにいい息子がいる。そこで主人夫婦は、清次郎を商人《あきんど》としてある程度鍛えたら、どこかに婿《むこ》に出すか、暖簾《のれん》分けさせてもいいという腹でいたらしい。

「よろずやのご主人はうちのおとっつぁんと商いの仲間だし、仲もいいし、それであたしの婿にどうかってことになって……」

おりんにしてみれば、相手がどんな男かと興味がわくのも無理はない。跳ねっかえりの娘のことだから、相手を気に入れば、黙ってもじもじ離れているはずもない。あつらえられた見合いの席で、実はもうとっくにできちまっている相手の男に目配せをしながら、澄ましこんでいる母親の脇にしおらしく座ってみせるのもまた面白いなどとも、おりんは考えていたかもしれない。

「しかし、それで得心《とくしん》がいったよ」と、茂七は言った。「いくらおきゃんなお嬢さんでも、見合いの席にいきなり歌舞伎《かぶき》模様の着物というのは度がすぎている。相手に断られたら嫌な思いをするだろうにと、あんたがうちのやつに着物を頼みに来たとき思ったもんだ。しかし、清次郎があんたのそういう好みをわかってくれると知っていたからこそ、あんな思い切ったことができたんだな」

おりんは頷きながら、涙をふいた。

「清次郎の家《うち》や、兄さんのことは聞いていたかい？」

「少しだけ。兄さんから手紙が来て、近々《ちかぢか》会いに来るってことは知らされてました」

「それが今日、楊流だってこともかい？」

「ええ。部屋のなかに散らばってたお菓子のこと、親分さん、覚えてますか？」

「ああ、覚えてるよ。あれは土産だな？」

「そうなんです。兄さんに持たせて帰したいから、買って持ってきてくれないかって。だからあたし、時刻を見計らって、楊流の前で待っていたの。そしたら、清次郎さんもお兄さんも、ちょうど同じころあいにやってきて……。楊流の前の掘割のところで、あたしも挨拶《あいさつ》だけはしました」

「で、菓子折りを渡したと」

「ええ。あがっていきたかったんだけど、清次郎さんから、身内の恥ずかしい話だから来ないでくれって言われてたから、菓子折りを手渡したらすぐに帰りました」

「兄さんをどう思った？」

おりんは返答を渋った。何度か首をひねり、ひねり、黙っている。

「まあ、いいよ」と茂七は言った。きっと、楊流のおかみと同じようなことを言うのだろうと思った。生まれは同じでも、清次郎はもうれっきとした江戸者になっているのに対して、朝太郎は、おりんにとっては馴染《なじ》みのないところからやってきた異人でしかなかった。しかも、この異人は、江戸者の知らない貧しさをふりまきながら歩いていた。

「ひとつだけ教えてくれ。清次郎さんは、兄さんが何のために江戸へ出てくると言っていた？　それとも、何も言わなかったか？」

おりんは赤いくちびるを噛《か》んだ。「無心だって」

「金かい？」

「はい。兄さんところの田圃《たんぼ》が、この夏、いもち病とかいうのですっかり駄目になってしまって、食べるものにも困ってるんですって。だけど清次郎さんだって、まだ奉公人の身の上ですからね。貸してあげるお金なんかないって、こぼしてました」

清次郎の言葉を思い出そうとしているのだろう、おりんは少し首をかしげた。そうしているうちに、また目がうるんできた。

「清次郎さん、子供のころから、兄さんとは仲が悪かったんだって言ってました。兄貴はいつも威張ってばっかりいて、俺を邪魔者扱いしてたって。おめえは米食い虫だって言われて、頭に来て殴りかかったこともあったって。兄貴ってもんは、自分は我慢しても弟たちに優しくして、食い物が少なければ自分は我慢しても目下のもんに食わせて、着るものがなければ自分が着てるものを脱いで着せて、それでこそ初めて威張れるもんだろう、俺の兄貴はそうじゃない、先に生まれてきた、親父《おやじ》の後を継ぐってことだけをかさに着てたってね」

片口だけの話だから、全部をうのみにすることはできない。朝太郎にも言い分はあろう。が、米食い虫とさげすまれ、追い出されるようにして江戸に出てきた清次郎の心のなかに、生家と長兄に対する恨《うら》み辛《つら》みが深く根を張っていたことだけは確かなようだと、茂七は思った。

足許《あしもと》に目を落とし、茂七は考えた。座敷に散らばっていたあの干菓子《ひがし》……あれは何を示しているのだろう。清次郎の朝太郎に対する嫌味か。それとも、食い詰めかけている兄貴の目に、あの干菓子がどう映るかわからないほど、清次郎が豊かな江戸のお店者《たなもの》になりきっていたということか。

どっちだ。そのどちらが、朝太郎の心のなかに、弟の首を絞めさせるに至るほどの猛烈な怒りを生み出したのだろう。皮肉の棘《とげ》か。それとも無頓着《むとんじゃく》か。

ありがとうよと言って、茂七はおりんを送り出した。権三をつけて、家まで送らせよう。

「あの着物、無駄になっちゃうわ」立ち上がりながら、おりんがぽつりと呟《つぶや》いた。

「また、機会があるさ」

「清次郎さんのお弔いのときに着てあげようかしら。あの人、あたしがああいう派手な着物を着ると、とても喜んだんです」

それから数日後のことである。

糸吉が久々に家に顔を出し、とんだ知らせを持ってきた。船宿の楊流が、厄払いのために日道を呼んだというのである。

「殺しの汚《けが》れを払うんだっていう話です」

茂七は糸吉を連れ、楊流に走った。着いたときには、お祓《はら》いはもう終わっていた。白装束の日道が、深々と頭をさげるおかみに見送られ、めかしこんだふた親にはさまれて、駕籠《かご》に乗り込むところだった。

「おい、日道」

道の反対側から、茂七は大声で呼ばわった。駕籠の覆《おお》いを下げようとしていた日道は、呼び捨てにされた驚きをまともに顔に現して、きゅっと振り返った。

「あなたはどなたです？」

取り澄ました口元。無表情な目。とても、十歳になるやならずの雑穀問屋の小伜《こせがれ》の
それではない。両脇《りょうわき》に控える父親も母親も、険しい顔でこちらを睨《にら》みつけている。

「俺は本所深川《ほんじょふかがわ》一帯を預かっている岡っ引きの茂七という者だ」

日道はじっと茂七を見つめている。父親のほうが、駕籠ごしに言い返してきた。

「岡っ引き風情《ふぜい》が日道さまに何の用だ」

「日道さまときたか。てめえの伜だろう」

茂七がせせら笑うと、楊流のおかみが青くなった。

「親分、日道さまはうちの悪因縁を払いに来てくださったんですよ。失礼なことを言
わないでくださいよ」

茂七はかまわなかった。日道——十歳の少年ひとりに向かって話しかけた。

「おめえは霊力を持っているとかいう噂《うわさ》だ。そんなら、楊流のあの座敷で、どういう
いきさつで殺しが起こったのか、全部お見通しだろうな？」

日道は、小生意気な感じに顎《あご》をあげた。

「男が、別の男の首を、うしろから腕で絞めたんだ」

それぐらいのことは、検使のお役人のお調べでわかっている。

「どうしてそんなことになったかわかるか」

日道は、昼間のうちに、月がどこにあるか指さしてみろと言われたかのような、ちょっと面食らったような顔をした。

「あの座敷には、憎しみの気が漂っていました」と言った。丁寧語を使ったところに、わずかなひるみの色が見えた。

「どういう憎しみだったかわかるか」

日道は、ますます困惑顔になった。すかさず、母親がかばうように近寄って、日道を駕籠のなかに押し込もうとする。

「そんなことはどうでもいいことでしょう。日道さまは悪気《あっき》を払いに来ただけですから」

「人の心がわからねえ餓鬼に、何の悪気がわかるもんか」と、茂七は言い放った。

朝太郎が清次郎を殺したとき、そこにどういう思いがあったか。食うや食わずの百姓の目に、江戸娘のおりんのあの派手な衣装がどう映ったか。明日の飯にも窮して頭を下げにきた兄貴に、貸す金はないと言いながら、食べ物とは思えないような精緻《せいち》な細工をこらした干菓子の箱を土産に差し出す弟を、朝太郎がどんな思いで見つめたか。

(兄弟でなけりゃ、よかったのに)

そういう思いが、たかだか十歳の餓鬼にわかってたまるか。

「参りましょう」

母親が促して、日道は駕籠に乗り込み、一同は静々《しずしず》と出立した。駕籠かきの後棒《あとぼう》が、途中で振り向いて茂七を見た。

「親分」糸吉が、恐々《きょうきょう》という口調で声をかけてきた。「大丈夫ですかい？　あんまり腹を立ててもしょうもないような気がしねぇでもないなぁ。ああして見ると、まだホントに小さい子供じゃねえですか」

子供だからこそ始末が悪いんだと、茂七は腹のなかで思った。

「これからも、日道の動きには気をつけておいてくれ」

遠ざかっていく駕籠から目を離さずに、茂七は低く、そう言った。

その晩、茂七は再び、富岡橋のたもとへ出かけていった。今夜は、屋台が出ていた。

「このあいだ、休んでいたな」

声をかけながら前に腰をおろした茂七に、いつもながら厳しい顔に不思議な微笑をたたえた親父は、うやうやしく頭をさげた。

「空足を踏ませちまいましたか。あいすみません。ちょいと修業に出ていました」

「修業？」

「ええ。菓子づくりを習いに」

今夜は猪助も酒売りに出ている。半分居眠りしながらも、客が声をかけるとちゃんと升を取り出す。親父はそんな猪助を横目で見て、

「ここで酒も飲めるようにしたら、下戸《げこ》のお客さんのなかに、甘いものが欲しいという方々が出てきましてね。でも、そうそう都合のいい菓子の振り売りがいるわけじゃない。それで私がこさえようと」

「どこへ行っていたんだい？」

親父は言葉を濁した。「多少、伝手《つて》をたよって」

その夜は、脂《あぶら》の乗った秋刀魚《さんま》を肴《さかな》に、茂七はちくちくと酒を飲んだ。稲荷寿司《いなりずし》は土産にして、締めには渋茶と、

「親父の菓子をもらってみようか」

まだ修業中なのでと、遠慮がちに親父が差し出したのは、羊羹《ようかん》のような寒天のような、薄い海老茶色《えびちゃいろ》のものだった。

一口食べてみる。ほんのりとした甘さと、覚えのある味が広がった。

「こいつは……」

「柿《かき》ですよ。柿羊羹と呼んでいます」

旨《うま》かった。柿など、そのまま食べたほうがよさそうなものだが、これにはこれの味わいがある。

「羊羹は名ばかりで、作り方は全然違うんですがね」

「家でもできるかね。いや、うちの庭の柿の木が実をつけてね。熟れるのを待ってるところなんだ」

親父は目元にしわを刻んで笑った。「そういう柿なら、細工をしちゃあもったいない。日持ちのするものですから、少し包んでおきましょう。このあいだの空足のお詫《わ》びです。おかみさんにどうぞ」

嬉《うれ》しくなって、茂七は、家の柿の木の話をいろいろとした。親父は静かに聞いていたが、途中で、

「花木《はなぎ》だけでなく、実のなる木が庭にあると、楽しいものですよ。昔、私が住んでいた屋《や》──家《うち》にも、大きな次郎柿の木がありました。子供らが、よく取りにきたものだ」

茂七は親父が、「私の家」ではなく、「私の屋敷」と言おうとしたと気がついた。

「へえ、柿には次郎柿ってのがあるのかい」

「ありますよ。甘みの強い、旨い柿です」

「太郎柿はねえのかな」

「ないようですねえ」親父はちょっと考える。「もしあれば、次郎柿よりもっと旨いのかもしれないが」

いや、太郎柿は渋柿だろうと、茂七は心のなかで思った。巡り合わせで、そうなっちまうんだ。

兄弟なのに。同じ柿の木なのに。渋柿と甘柿に。

勘定を済ませ、柿羊羹と稲荷寿司の包みを手に立ちあがり、富岡橋のほうへ戻り始めたとき、数歩先の暗がりに、茂七は人の気配を感じた。もしやと思って近づくと、案の定、梶屋の勝蔵が立っていた。

五月のときと、同じだった。どてらを羽織った勝蔵は、手下《てか》のひとりも連れず、九月の夜風に吹かれて闇《やみ》のなかで固まっている。

茂七が傍らを通り過ぎようとするのに、目もくれない。茂七は足を止め、屋台の明かりと勝蔵の黒い横顔を見比べながら、ひと声かけた。

「おめえも、一杯やってきちゃどうだ」

勝蔵は応じない。

「あの屋台の寿司はうめえぞ。酒もうめえ。所場代を取る気なら、うまいことやってもらいたいもんだな。あの親父が辟易《へきえき》して深川を出ていっちまったら、俺が困る」

勝蔵は、大きなどんぐり眼《まなこ》をしばたたき、無言で拳《こぶし》を握っている。

「なあ、梶屋。おめえ、あの親父と知り合いなんだろう？　そんなふうに睨みつけるのは、よほど訳ありの間柄だからか？」

勝蔵は、頑として前を向いたままだ。岩のようだ。だがその横顔に、にわかに、あたかも不動明王が足を踏み出して、小さな赤子を踏んでしまったとでもいうかのような、得も言われぬ悲しみの色が浮かんだ。

「血は汚ねえ」

唐突に、吐き捨てるように、勝蔵はそう言った。そして、唖然《あぜん》としている茂七を置いてきぼりに、くるりと身体《からだ》を返し、夜の町の向こうに歩み去っていってしまった。

たった今耳にした言葉を、茂七は判じかねていた。血は汚ねえだと？　去って行く勝蔵の背と、薄紅色の明かりのなかにぼんやりと浮かぶ屋台の親父の顔。見比べて——

(兄弟か？)

これまで考えてもみなかった言葉が、茂七の心を突風のようによぎった。

凍る月

凍る月

一

今日は朝から、髷《まげ》が飛ばされそうなほどの強い木枯らしが吹きすさんでいる。

回向院《えこういん》の茂七《もしち》は、長火鉢の前に腰を据え、ぼんやりと煙草《たばこ》をふかしながら、屋根の上や窓の外で風が鳴る音を聞いていた。こうしていても、凍るように冷たい外気のなかを、風神が大きな竹箒《たけぼうき》に乗って飛び来《き》たり、葉が落ちきって丸裸になった木立の枝をざざあと鳴らしたり、道ゆく人たちの頭の上をかすめて首を縮めさせたりしては、また勢いよく空へと駆け昇ってゆくのが目に見えるような気がしてくる。

師走《しわす》に入って十日ほどのあいだは寒気《かんき》がゆるみ、日差しも春先のそれを思い出させるような暖かな橘色《たちばないろ》になっていたのだが、そういう馬鹿《ばか》陽気というのはくせ者で、あとできっちりと倍返しをしてくるものだ。ぶり返してやってきたこの寒さは、けっして寒がりではないはずの茂七の身にも応《こた》えた。急ぎではないが片づけなければならない細かな用がいくつかあるのだけれど、今日は外へ出かけるどころか、火鉢のそばから離れることさえご勘弁ねがいてえという気分だった。

それに引きかえかみさんは元気なもので、昼時に仕立物を届けに出たまま、そろそろ八ツ（午後二時）になろうかというのに、まだ帰ってこない。出かけるついでに、松前漬けにする昆布とするめを買ってくると言ってはいたが、それにしても暇がかかりすぎだ。大方、お客のところで正月の晴れ着の算段でも持ちかけられ、それこそ漬け物石みたいにどっかりと落ち着いて話し込んでいるのだろう。

糸吉《いときち》と権三《ごんぞう》のふたりは、朝のうちにそろって顔を見せたが、半刻《はんとき》（一時間）もじっと座ってはいなかった。かみさんに、すすはらいのお手伝いには必ず参上しますなどと言いおいて、忙《せわ》し気に帰っていった。糸吉はごくらく湯の仕事が、権三は彼の住まう長屋の差配の手伝いの仕事がある。師走には、やはり、彼らも走らねばならないのだ。

下っ引きのふたりがふたりとも、ほかにもそれなりに稼ぐことのできる生業《なりわい》を持っていて、茂七ひとりにおぶさっていないというのは結構なことだ。おかげで茂七は、これまで一度だって、「俺にも面倒をみてやらなきゃならねえ手下《てか》がいるから――」などという、情けない台詞《せりふ》を吐いたことがない。どんな事件を扱うときでも、自分の心の秤《はかり》だけを頼りに、まっとうに捌《さば》くことができる。また、茂七がそういう岡っ引きだということは、まわりの世間の人びとにとっても、いたく安心なことだ。

だがしかし、そういう手下を持つと、今のように、何も厄介事や事件が起こってい ないときには、茂七ひとりがぽつねんとお茶をひくことになる。これが、茂七が暇なら糸吉も権三も暇という親分子分の間柄なら、屋根をかすめる木枯らしの音を聞きながら、三人してごろごろととぐろを巻き、かみさんに嫌な顔をされたりしながらも昼間っから馬鹿話などしたりして、それはそれでまた面白いだろうに。

煙管《きせる》を火鉢の縁《ふち》に打ちつけて灰を落とし、茂七は大きなあくびをした。

まあ、茂七とて、ずっと暇なわけではない。つい一昨日《おととい》までは、飯を食う間《ま》も、寝る間も惜しんで働いていたのだ。

煙管を煙草盆に片づけて、ごろりと仰向けに寝転がると、天井を見あげ、茂七はまたあくびをし、目をつむった。五十の声を聞いてからというもの、ひと晩徹夜をすると、そのあと三日ぐらい、頭の芯《しん》に眠気が残ってしまうようになった……。

うつらうつらとしかけたところに、表の戸口の方で誰かの声がした。かみさんが帰ってきたのだろうと、目を閉じたまま、茂七は適当に「おう、お帰り」と声をかけた。

静かだが、返事がない。人の気配は感じられる。茂七は、寝そべったまま戸口の方へ首をのばしてみた。

「どなたさんだね？」と、声をかけてみた。

「回向院の茂七親分はおいででございましょうか」

馬鹿丁寧な口調に、聞き覚えのある声だ。それも、つい最近耳にした声だ。

「おりますよ」

茂七は起きあがると、髷に手をあてて形を直し、着物の裾《すそ》をはらってから、玄関の方に出ていった。

玄関の敷居の内側に一歩だけ踏み込んで、若い男がひとり、寒そうな顔で立っていた。縞《しま》の着物に揃《そろ》いの羽織、たたんだ襟巻を腕にかけて、出掛けにはきかえてきたのか、足袋は新品のように真っ白だ。彼の背後では、玄関の引き戸が半分だけ開けられたままになっていた。閉めてしまっては失礼だと思ったのだろう。行儀がいいといえばいいのだが、先に訪ねてきたときも、あがれと勧めてもなかなかあがらず、こっちは寒くて閉口したものだった。

「こいつは失礼しました、河内屋《かわちや》さん」

茂七は軽く頭をさげてみせた。

「寒いところに立たせたままにしちまって……。どうぞおあがりくださいよ」

心の内《なか》で、茂七は舌打ちをしていた。

訪ねてきたこの若い男は、今川町《いまかわちょう》にある下《くだり》酒問屋河内屋の当主、松太郎《まつたろう》なのである。

茂七が今しがた、居眠り半分で、片づけなきゃならねえが急ぐことはねえ——と考えていた仕事のうちのひとつは、この松太郎が一昨日来たときに持ち込んできたものだった。

のんびり火鉢を抱えていたら、仕事の方が催促に来やがった。そりゃまあ、怠けていたのはまずいが、松太郎が持ち込んできた事件は、今いくつか抱えている仕事のなかでも、もっとも急ぐ必要のないものであるように、茂七は考えていたから、ああ面倒だなと、あらためて思ってしまった。

「それが親分さん、あまりのんびりはしていられないのです」

先に来たときもそうだったから、これが持ち前なのだろう、松太郎はよく通る声で、せかせかと言った。

「手前どもの店で、また変事がありまして」

茂七はのほほんと構えていた。松太郎は、先に訪ねてきたときも「変事」という言葉を使ったのだが、その「変事」の内容が内容だったからだ。

「ほほう、今度はなんです？」

「奉公人がひとり、逐電《ちくでん》いたしました」

大真面目《おおまじめ》な言い方に、茂七は目をしばしばさせてしまった。逐電とは恐れ入る。

「お店を逃げ出したということですかい?」

「はい。今朝がたから行方が知れません。さとという、二十歳《はたち》の娘です。口入れ屋からの紹介で手前どもに奉公しまして、今年で丸三年になる女ですが、これまでは真面目に勤めてくれておりましたのに……」

松太郎は顔を歪《ゆが》め、大げさに肩を落とす。

「思いがけませんでした。今朝、私のところにやってきまして、先の失せ物《うせもの》は、私が盗みました、あいすみませんでしたと言って、そのままお店からいなくなってしまったんですよ。店じゅう総出で探させていますが、見つかりません」

茂七はちょっと呆気《あっけ》にとられ、その場に突っ立っていた。

二

一昨日《おととい》の昼ごろ、河内屋の台所から、到来物の新巻鮭《あらまきじゃけ》が一尾、盗み出されて失《な》くなった——それが一昨日の出来事であり、そもそもの事の始まりである。

松太郎は、その盗み出された新巻鮭と、盗んだ下手人を探し出してほしいと、茂七を訪ねてきた。茂七は苦笑をかみ殺しながら、下手人は猫かもしれませんよと言い、たとえ人が盗《と》ったとしても、その程度の盗みは、どこの商人の家でもないわけじゃねえ、奉公人たちを集めて屹度《きっと》叱《しか》り、盗んだ者は自分から正直に申し出てこい、今回一度に限り目こぼししてやる、とでも言っておけばいいじゃないかと話をした。

するど松太郎は、その説教を、親分がしてくれないかと頼んできた。

「私が説教しても、奉公人たちにはききません」

「どうしてそう思うんです？」

「私自身が奉公人あがりですから、重みがないのです。歳《とし》も、まだ若いですし……」

たしかに松太郎は、彼の言うとおり、元をただせば河内屋の丁稚《でっち》である。江戸者ではなく、親は上総《かずさ》の国の在所で田圃《たんぼ》を耕している。彼は文字どおり、身ひとつで江戸に出てきて、辛《つら》い奉公に音をあげず、努力を重ねて十年目で、手代頭になった。その後も数年、真面目に精進し、その人柄と、商いの目の明るいことを先代の主人に買われ、ひとり娘の婿《むこ》となったのが去年の春。先代が隠居して娘夫婦が跡を取り、松太郎が目出たく河内屋の当主となったのは、今年の秋口のことだった。松太郎、二十八歳の大出世である。

そのあたりの話については、河内屋に代替わりのあった当時から、茂七もよく知っていた。岡っ引きは日向《ひなた》の仕事ではないから、地元の商人や地主の代替わりのお披露目だの祝言《しゅうげん》だののとき、いちいち祝いに行ったりはしないし、第一呼ばれもしない。だがそれでも、先方からは一応の挨拶《あいさつ》があるのだ。むろん、主人が出向いてくるわけではなく、奉公人に角樽《つのだる》のひとつも持たせて、「親分、今後ともなにぶんよろしく――」というくらいのものだが、それでも事情はよくわかる。

河内屋からも、松太郎が主人となったとき、そういう挨拶を受けていた。奉公人あがりの入り婿というのはよくある。現に、河内屋では先代もそうだった。婿さん、苦労は多いが、まあ目出たいことだ、しかし河内屋は、二代続けて跡継ぎの息子に恵まれないとは、女腹《おんなばら》の家系なのかねと、茂七はかみさんと無駄話などしていた。

その河内屋松太郎が、自ら、いきなり茂七を訪ねてきたのである。茂七も真面目に応対したものだ。松太郎は、どうかすると頭の上に余計な言葉がくっつきそうなほど真面目だという風評は、代替わりの頃から耳にしていたから、粗略に扱ってはいけないと、気持ちも引き締めていた。

それが、ふたを開けてみたら新巻鮭一尾の失せ物だったわけで、茂七は大いに気抜けした。反動で少しばかり気を悪くして――しかも一昨日といえば、茂七は忙しくて疲れきっていたところである――奉公人への説教くらい、自分でできなきゃ主人とは言えねえでしょうと、少しばかり辛《から》いことも言った。

すると松太郎は、目尻《めじり》を赤くして、そうです私はとても河内屋の当主になどなれる器じゃありませんと、泣き声を出し始めた。お店のなかが、いざこざして座り心地が悪いのだろう。泣かれては始末に悪い。茂七は、代替わりしてまだ半年も経《た》たないところだ、そういうこともありますよとなだめにかかり、奉公人の躾《しつけ》に自信がないのなら、先代の隠居に相談を持ちかけて、一から教えてもらうのがいちばんだ、あっしのような外の人間の手を借りるより、その方がずっと効き目がある——などと、具体的な助言もしてやった。

だがしかし、松太郎は聞き入れなかった。先代の隠居——松太郎は、すでに舅《しゅうと》となっているこの人のことを、しばしば「旦那《だんな》さま」と言い間違えた——は、お店のことはおまえに預けたと言って、根岸の寮に腰を落ち着けてからというもの、まるであてにならないという。先代のお内儀《かみ》はもう亡《な》くなっているので、はばかる向きもないし、婿養子として肩身の狭い暮らしを続けてきた先代は、やっと勝ち得た自由で気ままな暮らしに、水をさしてもらいたくないのだろうという。

そんなこんなで、茂七も結局突っぱねきれず、松太郎に代わり、河内屋の奉公人たちに説教をすることになってしまった——というところまでが、一昨日の話だ。面倒くさいが、まあしかし、誰かの出来心だろうし、盗んだ者は盗んだ者で居心地の悪い思いをしているだろうから、そうあわてることはねえと、たかをくって二日が経ったという次第だったのだが……。

姿を消した奉公人のおさとというのは、河内屋の台所仕事を預かる女中だった。だから、新巻が失くなったというだけの話のときにも、彼女の名前は出てきていた。問題の新巻は、消え失せる直前は台所の棚に置かれており、おさとと、もうひとり台所係のお吉《よし》という女中が、それを目にしたのが最後だったからである。

「私は、台所の女中を疑ってはおりませんでした」

うなだれて、松太郎は言った。火鉢に手をかざすこともせず、きちんと正座している。

「台所から物が失くなれば、最初に疑われるのは自分たちだと、おさともお吉もわかっているはずです。ですから、あのふたりのどちらかが盗んだとは思っていませんでした」

茂七は考えていた。松太郎の気持ちも、彼の理屈もよくわかるが、実際に起こる出来事は、そんなに持ってまわった形をしてはいないものだ。

「それでも、現におさとは、自分が盗んだと言いおいて姿を消しちまったわけでしょう？　そうなると、話は別じゃありませんかね」

松太郎はきっと顔をあげた。「おさとは、盗みをするような娘《こ》じゃありません。あれは、誰かをかばって言ったんです」

松太郎の目つきに、茂七は心にちかりと閃《ひらめ》くものを感じたが、口には出さなかった。代わりに、こう言った。

「なるほど、おさとが本当に盗んだのか、そうでないのかは、まだはっきりしてねえかもしれねえ。けど、こういうことは、すぐにどやどや騒がない方がいいんですよ。おさとがお店からいなくなったといっても、まだ半日でしょう？　少し様子を見ていれば、帰ってくるかもしれねえ」

「じゃ、親分は放っておけと？」

茂七は手を振った。「放っておけとは言いません。あっしもあとでお店にうかがってみましょう。よろしけりゃ、奉公人たちに話も訊《き》いてみましょうよ。ただ、騒ぎ立ててもなんの得にもならねえと申し上げてるんです。元はといえば、たかが新巻一尾から始まった話だ。その程度のことで、河内屋の主人ともあろう人が、じかにあっしを訪ねてくるなんてのも、本当は感心しねえ。旦那はお店の重石《おもし》だ。もっと、どおんと構えていないとね」

「私には重みがない――」

「なくても、重みのあるふりをしてごらんなさい。そのうちに、嫌でもそうなります。物は形から入るもんでさ」

松太郎を励ましておいて、背中を押すようにして今川町へ帰すと、茂七は火鉢に炭を足し、煙管《きせる》を取り出した。最初の一服といっしょに、溜息《ためいき》が出た。

（おさと、か）

先に松太郎が訪ねてきたときは、成りたてのほやほやで、ただ自信がないだけの若い主人だと思っていたが、どうもそれだけではないらしい。今日の話しぶり、おさとについて語るときの口ぶりから推すと、問題なのは新巻ではなく、奉公人たちにどう対処していいかわからない奉公人あがりの当主の心持ちでもなく、おさとという女中にあるらしく思えてくる。

たかが新巻一尾の失せ物に、松太郎があんなにも心を悩ませていたのは、それが台所から盗まれたものだったからではないのか。台所にはおさとがいる。彼が心配していたのは、新巻ではなくおさとのこと――

考えてみれば、かつては、松太郎とおさとは、手代頭と台所女中という格差はあれ、同じ奉公人同士だったのだ。そこに、何らかの感情の行き来があったとしてもおかしくはない。

おさとが河内屋から消えたのも、そのへんのところに理由があるのではないか。もっとも、あの物堅い松太郎に、じかにこんな考えをぶつけたところで、どうにもなるまい。いや実際、この件は捌《さば》きようがない。奉公人の出奔《しゅっぽん》は、お店にとっては損害だし、罪にもなることではあるけれど、おさとが千両箱担《かつ》いで逃げ出しましたというならともかく、失くなっているのは新巻一尾――それも彼女が盗んだのかどうかはっきりしない――というのでは、茂七とて、目の色変えて探し回るわけにもいかない。

それでも茂七は、しばらくしてようやくかみさんが帰ってきたので、入れ違いに家を出て、河内屋へ向かった。きつく襟巻を巻いて出かけたけれど、今川町に着くころには、すっかり凍えてしまっていた。

あたりさわりのないように、当主の松太郎から聞いたとは言わず、こちらで女中さんが出かけたきり帰ってこないんで探しているという噂《うわさ》を聞き込んで寄ってみたんだが――と持ちかけると、河内屋のもうひとりの台所女中、お吉は、素直にまたぺらぺらとよくしゃべった。彼女は多少、腹を立ててもいるようで、それはなぜかというと、おさとが勝手にいなくなったために、自分の仕事が増えたからだった。

「おさとって娘は、どうしてお店を飛び出したりしたんだろう？」

茂七はそらとぼけて訊いてみた。

「あんた、なんか心当たりはあるかい？」

「わかりませんよ。新巻鮭のことじゃないかって——なんでも、出ていく前に、旦那さまに話していったそうだけど」と、お吉はすぐに言った。そうして、例の一件についてしゃべったあと、

「新巻なんて、そんなに大したことじゃないと思うけど」と、笑いながら言った。

「あんたは、誰が盗ったと思ってたね？」

「猫でしょうよ。親分だって、そう思いませんか」

「じゃ、あんたもおさとを疑ったりはしていなかったんだな？」

お吉は驚いたようだった。「あたしだけじゃない、誰も、何も疑ってなんかいませんでしたよ。台所の窓はいつも開いてるしね。みんな、猫の仕業だろうって言ってましたよ」

「旦那さんやお内儀さんは？」

「お内儀さんは、新巻鮭が好きじゃないんです。失くなったって、気にもしません」

と、お吉はあっさり言った。「旦那さんの方は、家の中で失せ物があるのはよくないとかなんとか生真面目《きまじめ》なことを言って、ひとりできりきり尖《とが》ってましたけどね。だけ

ど、あたしたち、そんなの気にしてませんでしたよ。だって、誰が新巻なんか盗るんです？　これがまだお饅頭《まんじゅう》とかなら、盗み食いする人もいるでしょうよ。けど、丸のままの新巻なんかね、誰が好《す》き好《この》んで」

お吉の言っていることは、一昨日《おととい》松太郎が訪ねてきたとき、茂七が彼に言った言葉でもある。

誰が好き好んで新巻を盗むもんか、おおかた猫の仕業だろうよ、放っておこう——

これは、当たり前の反応だろう。だがしかし、松太郎はそうは思わなかった。誰かが盗んだと思った。だからおさとは「わたしが盗みました」などと言った——そうではないのか。彼の意に沿うため……かどうかはともかくとして。

「その新巻は、到来物だったとか？」

「ええ、そうですよ。毎年この時期は、たくさんもらいます。うちからも、あっちこっちへあげるんだから、差し引きは同じだけど」

「失くなった新巻がどこから来たものだか、わかるかね？」

「たぶん、辰巳屋《たつみや》さんからいただいたのじゃないかと思います。この先の——」

「やっぱり酒問屋だな」

「ええ。一昨日は、それ一尾しかなかったから。だから、失くなったことにもすぐ気が付いたんですよ」

「そいつは確かだね？　失くなった新巻は、一尾しかないものだったっていうのは」

「間違いないですよ。台所はあたしが仕切ってるんだもの」

お吉は、新巻の一件があって以来、そういえばおさとはどことなく元気がないように見えた、と言った。

「だけど、もともとあんまり元気のいい人じゃないからね」

「お吉さんと言ったね、あんたは、ここで働いてどのくらいになる？」

「二年と、ちょっとですよ」

「じゃあ、先代の旦那のことも、今の旦那が奉公人だったころのことも、ちっとは知っているな？」

「ええ」うなずいて、お吉は少し、口を尖らせた。「だけど、今の旦那さまは、手代頭だったころから、あたしたちとは全然別の扱いを受けてましたからね。まあ、あたしなんかは女中だから仕方ないけど、同じ手代だった人や、番頭さんなんかのなかには、頭にきてる人がいるみたい。けど、それもよくある話でしょ、親分」

「そうか……。なあ、今度の新巻の件で、旦那さんは本当に、そんなにきりきりしていたのかい？」

お吉はまた笑い出した。「そりゃもう、頭で壁に穴を開けられそうなほど、ひとりで尖ってましたよ。示しがつかないとか言ってね。あの人は昔から気が小さいんだって、番頭さんが言ってたわ」

茂七は、頭をぼりぼりとかきながら外へ出た。お吉という娘は、それほど頭がいいとは思えないけれど、当たり前の常識と根性を持っている。彼女の言っていることはことごとくもっともだ。

松太郎が、元の奉公人仲間や先輩たちの上に立つ身分になり、やりにくいことがあるとしても、そのために、彼の主人としての権威に多少欠けるところがあったとしても、それらのことと、今度の新巻の一件とは、あまり関わりがなさそうに思える。彼がそう思い込んでいるだけで、関係はなさそうに思える。

問題なのは、やはり、松太郎自身の気持ちの方ではないのか。

そんなふうに思ったから、その後もしばらくのあいだ、茂七は、遠くから河内屋の様子を見守るだけで、強いて手は出さなかった。松太郎にも、おさとが戻って来たり、彼女の居所がわかったりしたら知らせてくれとだけ言って、あとは放っておいた。松太郎はその後も一度、心配顔で茂七を訪ねてきて、おさとを探し出さなくていいだろうかなどともごもご言ったが、茂七は彼を睨《にら》みつけ、探し出さないとお咎《とが》めがかかるということはないが、河内屋さんにはどうでも探したいという理由でもおありかと尋ねた。松太郎は、うなだれて帰っていった。

おまけに、その後師走《しわす》も半ばを過ぎて、茂七は急に御用繁多になり、河内屋のことは、どうしても頭から消えがちになった。目も耳も離れた。だから、あの霊感坊主《ぼうず》の日道《にちどう》が、河内屋に日々出入りして拝んでいるという噂を聞きつけたのは、晦日《みそか》まであと五日ほどという、年の瀬もいよいよ押し詰まったころになってのことだった。

三

「拝み屋が何をやってるっていうんだい」

茂七が尋ねると、糸吉が吹き出した。

「嫌だな親分、日道の話になると、すぐ喧嘩《けんか》腰《ごし》になるんだから」

ふたりして、両国橋へと向かうところである。御用の向きで、神田明神下《かんだみょうじんした》まで出かけるのだ。今日は風こそ穏やかだが、息が凍り、指がかじかむ寒さであることにかわりはない。糸吉は、鼻の頭を真っ赤にしていた。

拝み屋の日道――本当は御船蔵裏《おふなぐらうら》の雑穀問屋の小倅《こせがれ》、まだ十歳の長助《ちょうすけ》という子供にすぎないのだが、生まれながらに霊感が強いとかで、失《う》せ物《もの》探しや人探し、憑《つ》き物《もの》落としはもちろんのこと、人相を見るだけでその人の寿命まで当てることができるなどという、たいそうなふれこみがついている小僧である。まあ、ふれこみはよしとしても、拝むたびに大枚の金を要求するというのが気にくわない。

それでなくても、茂七はもともと、この手のことが嫌いなのだ。だから糸吉が笑うのである。

茂七がこの日道とじかに顔をあわせたのは、今年の秋、「楊流《ようりゅう》」という船宿で事件があったときが最初だ。のっけから相性は悪かった。以来、気を付けて日道の動静をうかがっていた茂七だが、これといって突っ込むネタが見つかるわけでもなく、面白くない気持ちを抑えて、年の瀬までやってきた。

その日道が、河内屋に出入りしているという。

「そら、月なかに、河内屋から女中がひとり逃げ出したそうじゃないですか」と、糸吉は言った。「その女中の行方を突き止めてほしいって、河内屋が頼んでるそうですよ」

「河内屋の、旦那《だんな》かお内儀《かみ》か」

「旦那でしょう。あそこのお内儀さんは、お嬢さん育ちでおっとりしてて、商売のことも、家の中のことも、ほとんどわからないらしいって評判ですからね」

「それで、見つかったのかい？」

糸吉は首を振った。寒さに、頬まで赤くなっている。

「見つかってないらしいです。ただ日道は、女中はもう死んでるって言ってるそうですよ。最初に河内屋で拝んだときに、『ああ、これは死んでる』って言ったとか」

茂七は立ち止まった。「何だと？」

「川へ入って死んでるって。あとは死体《なきがら》がどこにあるかって話なんだけど」

「河内屋じゃ、日道の言うことを信じてるのかい？　死体まで見つけようとして、拝んでもらってるわけか？」

「そうでしょうね。哀れだから、せめて死体を引き上げて弔いのひとつもあげてやりたいということでしょう。河内屋ってのは、奉公人に優しいお店ですねえ」

茂七は、糸吉のような心暖まる感想を述べる気持ちにはなれなかった。河内屋の松太郎は、そんなことをするほどに思い詰めているのか。

「御用を済ませたら、帰りは永代橋《えいたいばし》に回って、今川町の河内屋に寄ってみよう。新巻《あらまき》鮭《じゃけ》の件は、まだ祟《たた》っていやがったんだ」

突然の茂七の来訪に、松太郎は驚いた顔をしたが、その顔を見た茂七もびっくりした。松太郎は、この半月足らずのあいだに、げっそりとやつれてしまっている。大病のあとの人のように、肌がたるんで精気がなく、目もどろんとして、眠りが足りない様子だった。

「親分さん、おさとのことで何か知らせを持ってきてくれたのですか?」

座敷で向き合うと、松太郎はすぐにそう訊《き》いた。

茂七はすぐには答えずに、出された茶をゆっくりとすすりながら、あれこれ考えた。ここは松太郎の居室だというが、床の間に飾られている枯れ山水の掛け軸が、彼の好みのものとは思えない。先代の居室を、そのままそっくり受け継いだだけなのだろう。やはり、河内屋という船は、松太郎という船頭の言うことだけを素直に聞いてはくれないものと見える。そんな状態で、家に拝み屋など引き入れて、それが奉公人たちのあいだにどういうさざ波を立てるか、松太郎はわかっていないのだろうか。

「どうなんですか、親分さん」と、松太郎は乗りだした。「おさとは見つかったのですか?」

「あんた、拝み屋の日道を呼んでいるそうだね。日道はなんと言ってる?」

松太郎は身を引いた。「ご存じだったんですか」

「ああ。日道は、本所深川《ほんじょふかがわ》じゃ有名な拝み屋だからな」

「近頃じゃ、高輪《たかなわ》や千駄木《せんだぎ》の方からも、日道さまに観《み》てもらうために、はるばる人が来るそうですよ」

ぽつりとそう言って、松太郎は目を伏せた。

「日道さまは、おさとはもう死んでいると申されました」

茂七はうなずいた。「それも知っているよ。だから河内屋さん、あんたは今じゃもう、おさとの居所じゃなくて、死体の在処《ありか》を探してるわけだよな」

松太郎は目をしばたたかせると、ふっと息を吐いた。

「生きていてほしいですが……」

「しかし日道には、なんでそんなことがわかるのかね？」

「おさとの使っていた前掛けを手にしたら、そういう幻が浮かんできたのだそうです。水に飛び込んでゆくおさとの姿が心眼に映ったのだそうです」

糸吉が冷やかすような目つきで茂七を見ている。茂七は睨み返しておいて、松太郎に向き直った。

「他所《よそ》にもらすようなことはないと約束するから、正直に答えてもらいたいんですがね、河内屋さん――いや、松太郎さん。あんたとおさとのあいだには、以前、何かあったんじゃありませんか」

松太郎は目を見開いた。さほど整った顔立ちではないが、目だけはきれいだと、そのとき茂七は思った。

「おさとは、気だてのいい娘《こ》です」と、松太郎は言った。のろのろと手をあげて、額をさすりながら。

「働き者でしたし。私は――おさとが好きでしたよ」

「おさともそのことに気づいていたんでしょうね」

「口に出したことはありませんでしたが、察していたと思います。そういうことは、たいていの場合、一方だけの思い込みではないものでしょう?」と、松太郎は言った。

「まだ婿《むこ》入りの話が内々《ないない》のものだったころに、私は一度、仲間内だけの軽口に聞こえるようにして、おさとに言ったことがあります。本当なら、こんな大きなお店を任されて分不相応の苦労をするよりも、おさとみたいな女と所帯を持って、こぢんまりした苦労をしたいよと」

「おさとはなんと言いました?」

「何も。ただ、笑っていました」

笑うしかなかったろう。残酷なことをしたものだと、茂七は腹の底で考えた。

「おさとはよく笑う女なんです」と、松太郎は続けた。心なし、目尻《めじり》の線がやわらいでいる。「あれも在所には年老いた親がいて、仕送りもしなくちゃならない。なかなか辛《つら》い身の上でした。でも明るい娘でしてね。気働きがきくんで先代の旦那さまやお内儀さんにも気に入られていたんですが、どうかするとやっぱりこっぴどく叱《しか》られることがあります。自分が悪くなくたって怒鳴られることもある、それが奉公人というもんですからね。だけどそんなときでも、おさとは神妙に叱られたあとで、ちょろっと舌を出して笑っていた。あれがそばにいると、私はいつだって心が安まりました」

「しかし松太郎さん、あんたは結局、この家の婿になった」

「手代頭に取り立てていただいたときから、決まっていたことです」

「おさとは納得したんですか」

「納得も何も……」

松太郎の顔に苦い笑いが浮かんだ。そういえば、この男が笑うのを、茂七は初めて見たのだった。

「この家の婿にと望まれて、私が断るわけはないと、おさとはずっと思っていたでしょう。ですから、そういう意味では、ええ、納得したのかもしれません。あるいは、諦《あきら》めてくれたのか」

「身分違いだと？」

「そんなところでしょう」

松太郎はちょっと顔をしかめた。おさととのことは、彼の心のなかの、触れると痛い部分にしまいこまれているのかもしれない。

「私がお嬢さんの婿になることが正式に決まったとき、私は、おさとがお店を辞めるのじゃないかと思いました。いえ、おさとだけじゃない、私に不満を持つ番頭たちは、みんな辞めていくだろうと。でも、そういうことにはならなかった。不思議ですよ」

「いっそ、辞めてくれた方が気が楽だったんじゃねえですかい？」

茂七の言葉に、松太郎はふっと笑った。

「とんでもない。そんなことになったら、このお店は成り立たなくなります」

茂七はうなずいた。「そうでしょう。お店ってのは、旦那ひとりで成り立つものじゃねえからね。それに番頭さんたちだって、まずは暮らしていかなくちゃならねえし、それなりの意地もある。今までの奉公を、無駄にしたくはねえだろう。あんたが旦那に収まったことを不満に思って、そのためだけに、そういう人たちが辞めてゆくんじゃないかと考えたってのは、あんたの間違いだ」

松太郎は黙っている。茂七は続けた。

「だが、おさとの場合は、番頭さんたちとは違う。心と心の問題なんだから。おさとが、あんたが婿としてこの家に収まってからも、今度の件があるまでは、お店を辞めようとせずに奉公を続けていたことに、思い当たる節はねえですかい？」

「と言いますと？」

「この家の婿として収まったあと、おさとをつなぎとめようとして、何かしやしませんでしたかという意味ですよ」

茂七と糸吉の目の前で、松太郎はすうっと青ざめた。身体《からだ》全体が、背後の床の間に飾られた枯れ山水の掛け軸と同じくらい、色あせたようになってしまった。

「私は、そんな卑怯《ひきょう》な男ではありません」と、震える声で言った。「このお店も、お嬢さんのことも、大事に思っています。そんな不実なことは、私にはできませんし思ったこともありません」

しかし、それならばなぜ、おさとは河内屋を辞めずに残っていたのだろう？　いたたまれないと思わなかったのだろうか。そしてなぜ、今になって、新巻鮭が失《な》くなったなどという些《さ》細《さい》なことをきっかけに、飛び出してしまったのだろう――

その問いを腹のなかに呑《の》み込んだまま、茂七は肩をすぼめて河内屋をあとにした。

大川《おおかわ》に沿って、黙りこくったまま歩き続け、御船蔵の手前まで来たところで、日道のところに寄っていこうと思いついた。

「いきなり襲うんですかい？」と、糸吉が驚く。

「襲うとは人聞きが悪いぜ。あいつは、おさとがもう土左衛門《どざえもん》になっていると言ってるんだ。どうしてそう思うのか、その理由を聞かせてもらおうと思うだけだよ」

「心眼ですよ、親分」

からかうように言って、糸吉はあとをついてきた。

三好屋《みよしや》は、御船蔵裏の御番人小屋《おばんにんごや》の並びにある。細い掘割に沿って歩いてゆくと、御番人小屋の提灯《ちょうちん》に並んで、三好屋の店先《たなさき》に掛行灯《かけあんどん》が灯《とも》してあるのが見えてきた。日は暮れて凍るような夜空、どんな商家でも、とっくに大戸を閉じている時刻だが、三好屋では、表戸を閉めたあとも、日道を訪ねてくる客のために、明かりを落とさないでいるのだ。三好屋は本業の雑穀問屋も繁盛《はんじょう》しているが、日道の稼ぎというのはそれを上回るほどのものだという。

しゃらくせえ――と思いつつ、茂七がその掛行灯の方に歩み寄っていったそのとき、三好屋の大戸が動いて、なかから人がひとり現れた。

茂七は息を飲み込んだ。糸吉も急いで立ち止まる。

「親分、あれは——」

し、静かにしろと、茂七は糸吉を押さえた。

三好屋から出てきたのは、富岡橋のたもとに屋台を張っている、あの稲荷寿司《いなりずし》屋の親父《おやじ》だったのだ。

彼は三好屋の方を振り向くと、大戸の内側にいる誰かに向かって、丁寧に頭をさげている。片手に無地の提灯をさげて、足は雪駄《せった》履きだ。

稲荷寿司屋の親父がこちらに向き直る前に、茂七は糸吉の襟首をつかむようにして、急いで手近の路地に飛び込んだ。身を縮めて様子をうかがっていると、親父は提灯で足許《あしもと》を照らしながら、やや首をうつむけて、万年橋の方へと歩いていった。

茂七たちが路地から外に出てみると、親父の持つ提灯の明かりが、強い北風にあおられてときどきふらふら揺れながら、遠ざかってゆくのが見えた。

あの親父が、日道を訪ねていた——あの親父も、日道の霊力とやらを信じているのだろうか。いや、それ以前に、あの親父も、日道に頼んで観てもらいたいような何かを抱えているのだろうか。

振り向くと、三好屋の大戸はまた閉じていた。掛行灯だけが、寒そうにまたたいている。

「あの親父、昔は侍だったろうって、親分は言ってましたよね？」

「おめえは、あの屋台に行ったことはねえのかい？」

「ないですよ。寒いしね。それに俺は下戸《げこ》だから」

「近頃じゃ、甘い物も出すんだ。旨《うま》いものを食わせる屋台だぞ」

へえ、そうですかと言いながら、糸吉が茂七の顔を見た。少し困ったような表情になっている。

「大丈夫ですか、親分」

茂七が、よほどぼうっとしているように見えたのだろう。糸吉が茂七の腕を叩《たた》いて言った。

「ああ、大丈夫だ。ちっと驚いただけだよ」

「三好屋には行かないんですか」

茂七は黙って首を振った。

「今夜はよしておこう」

日道よりも、今夜はまず、あの親父の話を聞いてみたい。あの親父が何を——あの親父がなぜ、日道を訪ねたりしたのか。それが知りたい。それによっては、茂七も、日道に対する考え方を変えねばならなくなるかもしれない。あの稲荷寿司屋の親父は、今では、茂七にとって、それくらい大きな存在になっているのだった。

四

その夜遅く、茂七が富岡橋のたもとの屋台に顔を出すと、親父はいつものように、黙って会釈《えしゃく》を寄こして迎えてくれた。

「まず、熱燗《あつかん》だ」

親父は、隣に並んで商いをしている猪助《いのすけ》という酒の担《かつ》ぎ売りの老人にうなずいてみせた。猪助が銚子《ちょうし》に酒を満たし、大きな七輪《しちりん》の上で煮えたぎっている鉄瓶の湯のなかに、銚子を沈めた。猪助は老齢《とし》で病み上がりの身だ。茂七は、この寒気《かんき》が身に応《こた》えないかと心配になったが、老人は厚い綿入れを着込み、手ぬぐいで頰かぶりして、腰掛けの上には毛皮を敷き、カンカンに熾《おこ》った七輪にかがみ込み、赤い顔をしていた。

今夜は客が少なかった。三つ並んだ長腰掛けはガラガラで、道端に据えられた客用の七輪だけが、鮮やかに赤い光を放っている。

「今夜はお茶をひいていますよ」と、親父が笑いかけてきた。

「冷えるからな。おかげで俺は貸し切りだ」

「どうぞ」と、親父は微笑した。

熱燗の酒といっしょに、皿が出てきた。鮭《しゃけ》の切り身が乗っている。大根おろしが添えてあった。

目を上げて、茂七は親父の顔を見つめた。新巻が出てくるのは、季節柄おかしなことではない。だが――

茂七の目を見返して、親父は言った。「甘塩ですが、身の厚いいい鮭ですよ」

「うん、旨そうだ」

「親分は、このことで、河内屋さんを訪ねなすったでしょう」

茂七は箸《はし》を取ったまま、寒気のせいでなく凍りついて、親父を見あげた。

「よくわかるな」

「三好屋の日道坊やから聞いたんですよ。私は今日、あの子に会いに行きましたから」

いろいろ考える暇もなく、茂七は口に出していた。「ああ、あんたを見かけた」

「そうでしょう。私も親分をお見かけしました。若い人がいっしょだったが、手下《てか》の人ですか」

ばれていたのだ。茂七たちとて素人《しろうと》ではないのに、ちゃんと気配を察していたところ、やはりこの男、ただの屋台の親父ではない。

茂七は苦笑した。「うん。糸吉っていう」

「糸吉さんは、まだうちには来ていただいていませんね」

「売り込んでおいたよ。もうひとり、権三というのもいる。糸吉は下戸だが、権三は酒飲みだ。そのうち、連れて来よう」

茂七は熱燗をぐっとひっかけると、目を閉じて、酒が身体にしみこんでゆくのを味わった。それから言った。

「親父、あんたは、なんで日道に会いに行ったんだ？　そこで河内屋や俺の話が出たというのは、どうしてだい？」

親父は落ち着いていた。何か卵のとき汁のようなものをかき混ぜながら、静かに言った。

「日道が、河内屋のおさとという女中さんがもう死んでいると言っていたからです。それは間違いですからね」

「なんだと？」

親父は茂七の目を見てうなずいた。「おさとさんて人は、生きていますよ。昨夜《ゆうべ》も、ここへ来ました」

茂七は呆《あき》れて物も言えなかった。

「おさとさんは、なんでも、今月の中頃に、河内屋から出奔したそうですね」

「……ああ、そうだ」

「ですから、あの人が初めてここへ来たのは、出奔してから二、三日目のことじゃないでしょうかね。夜のもっと早い時刻でしたが、ここへ寄ったんです」

「知り合いなのかい？」

「私は違うが、猪助さんが」と、親父は老人の方に頭を向けた。猪助は、手ぬぐいで包んだ頭をうなずかせた。

「河内屋は、担ぎ売りにも酒を卸しているそうでね。猪助さんは、以前からおさとさんを知っているんですよ。あの人が出奔した日の朝も、猪助さんは、河内屋で酒を買って、おさとさんとも会っている。それくらいの知り合いです。だからおさとさんも、ここへ来たんです。猪助さんに会って、様子を聞きに」

「様子ってのは――」

「自分が飛び出した後、河内屋がどうなっているか気になったんでしょう。騒ぎになっているようなら、一度は戻って、ちゃんとお詫《わ》びをしてからお店を辞めたいと」

「それで？」

「私と猪助さんとで、そんな心配は要らないんじゃないかと言いました。黙って出ていった方が、あんたのためにも、河内屋のためにもよかろうと」

　親父は卵のとき汁をどんぶりに注いだ。

「おさとさんは今、赤坂の方にいるそうです。遠い親戚《しんせき》が、山王神社の近くで茶店《ちゃみせ》をしているそうで、以前から、手伝ってくれと頼まれていたそうでした。おさとさんは元気ですよ。少し、気落ちはしているが。それに、まだ気持ちがふっきれてないから、ときどきここにも寄るんでしょう」

「どういうことなんだい？」と、茂七は訊《き》いた。

「俺にはわけがわからねえ。おさとが、河内屋の婿《むこ》の松太郎に惚《ほ》れていたらしいことは知ってるが――」

　親父はうなずいた。大きな鍋《なべ》のふたをとると、真っ白な湯気があがって、ちょっとのあいだ彼の姿を隠した。

「私らにも、詳しいことは話してくれませんでした。ただ、なんだかがっくりして、急に河内屋にいるのが嫌になっちまったんだと話していました」

「がっくりした？」

「ええ。おさとさんは、たとえ松太郎さんといっしょになれなくても、河内屋で奉公に努めることで、松太郎さんの役に立ちたいと思っていたようです。逆に言えば、それくらい惚れていたんでしょう。痩《や》せ我慢でも、河内屋にいて、松太郎さんのそばで暮らせればそれでいいと、自分に言い聞かせていたんでしょうよ」

茂七は、松太郎とのやりとりを思い出していた。そのとき心に浮かんだ疑問も。

おさとはなぜ、今まで河内屋を辞めずにいたのか。

「でもね」と、親父は続けた。「このあいだ、猫が盗《と》っていったかもしれない新巻鮭一尾のことで、やれ示しがつかないの、やれ奉公人に抑えがきかないのは自分に重みがないからだの、きりきり尖《とが》っている松太郎さんを見ていたら、急に、ああこの人はもう自分とは縁のない、別人になってしまったんだなと思えてきたんだそうです。そうしたら、一生陰に回って尽くしていこうと思っていた自分の心が、急に痩せたような気持ちになって、後先考えずに河内屋を飛び出してしまったそうですよ」

茂七は、親父の言葉を頭のなかで吟味してみた。わかるような気がする。

茂七の会った松太郎、小心で、自信がなくて、お店の重みに押しつぶされそうになっていながら、お店への執心は当然のものとしている松太郎、番頭たちを警戒し、下の者たちからどういうふうに見られているか、そればかり気にしている松太郎。

そんな松太郎は、おそらく、おさとが惚れていた手代頭の松太郎ではないのだ。彼は変わってしまった。おさとはそのことに、新巻鮭一尾のことを通じて、はっと気が付いたのだ。彼が変わったこと、二人の立場が変わったことを。

いやひょっとしたら、以前から薄々気づきかけていたものが、あのとき一度に吹き出して、おさとを河内屋から逃げ出させたのかもしれない。

（おさとは諦《あきら》めてくれた――）

いや、諦めたわけではなかったろう。おさとは、どういう形でも松太郎のそばにいることが自分の幸せだと、ただ自分に言い聞かせていただけだったのだ。だがしかし、ひと月ふた月と時が過ぎてゆくうちに、それがどんなにおかしなことであるか、きれいな事ではあるけれど、どれほど自分の心を損なうことであるか、賢い娘のことだ、じわじわと悟っていたのだろう。

おさとの心は、飛び出すときを待っていた。松太郎を断ち切るべきときが来るのを。なにか些細《ささい》なことでも、おさとが、自分で自分の恋心に対して、言い訳が立つように。

「そういうことなら、おさとさんはもう河内屋に戻らない方がいい。知らん顔をしていた方がいいと、猪助さんも私も思いました」

「俺もそう思う」と、茂七はうなずいた。

「それでも、おさとさんはまだ、ここには来ます。ここからも足が遠のくようになれば、本当に河内屋を忘れたことになるんでしょうけれどね」

親父は鍋の前に立っている。湯気がゆらゆらしている。どうやら蒸し物であるらしい。

「親父、あんたはそれを、日道に言いに行ったのかい？」

「いいえ」と、親父は首を振った。「私はただ、おさとさんは生きているから、水に入って死んだなどと言わない方がいいと、それだけ言ったんですよ」

「霊視がはずれて、日道はどう言い訳をした？」

白装束の、つんと澄ました子供の顔を、茂七は思い浮かべていた。親父は笑った。

「霊視をしたとき、そばにいた誰かの頭のなかに、おさとは死んでいる――水にでも入って死んでしまったのじゃないかという心配や、死んでいてくれればいいのにという期待があったので、自分はそれを感じとったのだろうと言いましたよ」

茂七は笑おうとしたが、笑えなかった。松太郎の心配そうな顔が頭をよぎった。そしてもうひとり、松太郎の妻である、河内屋のひとり娘の顔――会ったこともない女の顔なのだが、それが見えるような気がした。

（お嬢さんはおっとりしてるから）

だがそれだって、自分の亭主になる男のこと、その男と仲のよかった女中のこと、その女中が河内屋に居座っていることの意味を、考えたり想《おも》ったりしないことはなかったろう。

「冷えてきた。もう一本、熱燗をくんな」

しばらくのあいだ、屋台の三人は、黙って湯気にまかれていた。やがて、追加の銚子を茂七の前に置きながら、親父が言った。

「子供に、ああいうことをやらせてはいけませんね」

むろん、日道のことだ。

「俺もそう思う」と、茂七は言った。「日道——じゃない、長助のためにもな」

「本当に当たるのなら、観《み》てもらいたいものだけれど」と、親父は微笑する。

茂七はそのとき、心の臓がちょっと跳ねあがるのを感じた。

謎《なぞ》めいたこの親父だが、今の茂七にとっていちばん気になるのは、彼と梶屋《かじや》の勝蔵《かつぞう》との関わり合いだ。柿《かき》の実の生《な》るころ、茂七はこの屋台のすぐそばで、闇《やみ》にまぎれて固まっていた勝蔵が、屋台の親父の顔をにらむように見据えながら、(血は汚ねえ)と叫ぶのを聞いた。以来、そのことは茂七の心のなかに引っかかったきり、どうしても動かない。

梶屋の勝蔵とこの親父とは、血のつながりがあるのではないか。年格好から言って、ひょっとしたら兄弟なのではないか。

だがそのことを、口に出して問うてみる機会を、まだ見つけることができないでいる。あっさりと尋ねたら、あっさりと否定され、それで終わりそうな気がするからだ。親父よ――と、茂七は心のなかで思った。あんたにも、日道に観てもらいたいことがあるのかい？　あんたがここにいる理由《わけ》、あんたが抱えているものは、いったい何だ。

親父は鍋のふたをとると、湯気のなかからどんぶりを取り出し、茂七の前に差し出した。

「小田《おだ》巻《ま》き蒸しですよ」

「なんだい、こりゃ」

「茶碗《ちゃわん》蒸しのなかにうどんを入れてあるんです。あったまって、いいかと思います」

有り難いと、茂七はどんぶりを引き寄せた。出汁《だし》の匂《にお》いが鼻をくすぐった。熱い小田巻き蒸しを味わっていると、屋台の周囲を、木枯らしが渦を巻いて吹き抜けていった。

「もう、今年も終わりですね」と、親父が言った。「木枯らしが、昔のことを全部、何から何まですっ飛ばしてしまって、新しい年がくるようだ」

茂七は顔をあげ、親父を見た。親父は夜空を仰いでいた。彼の目のなかに、木枯らしに巻かれてどこかへ飛び去っていった、彼にしかわからない歳月が、そのときちかりと映ったような気がした。

だが、今はまだ、問いつめるのはよそう。いつかきっと、それにふさわしい時期が来たり、ふさわしい事が起こったりするだろう。

「怖いような、冴《さ》えた月ですね」と、親父は言った。

茂七も空を見あげてみた。真ん中でぽっかり割れたまま、放り投げられて空に引っかかったような月が輝いている。その欠け具合、そのひとりぼっちの光。おさとの心の形も、今はあんなふうかもしれない――ふと、茂七は思った。

遺恨の桜

一

話は、例によって糸吉《いときち》が「ごくらく湯」で仕入れてきた。霊能者の日道《にちどう》が、人に襲われて大怪我《おおけが》を負ったというのである。

暖かな春の日差しに、うっかりすると居眠りをしてしまいそうな陽気が続いていたが、そのころ茂七《もしち》たちはあれこれと忙しく、咲き始めた桜の花も、あちらへこちらへと忙しく駆け回るその途中に、つと仰ぎ見るだけの日々である。それでも、なんとか花の盛りが終わらないうちに、一度くらいは花見をしたいものだとかみさんと話しつつ、せめて旬《しゅん》のものをとかみさんがこしらえてくれた菜の花飯を、権三《ごんぞう》とふたりでかきこんでいるところに、糸吉が駆け込んできたのだった。

「あ、菜飯《なめし》ですかい。いいなあ」

糸吉は用向きも忘れ、すぐに食い気のほうに走る。かみさんが笑いながら立ち上がった。

「ちゃんとよそってあげるから安心おしな」

「それより、どういうことなのかちゃんと話せ。あの変梃《へんてこ》な拝み屋がどうしたっていうんだい？」

「そんな言い方をしちゃ可哀相《かわいそう》よ」と、かみさんがたしなめた。「あんた、長助《ちょうすけ》坊やのこととなるとすぐにとんがるんだから。相手はまだ子供なんですよ」

確かに日道というのは通称で、本当の名は長助、御船蔵裏《おふなぐらうら》の雑穀問屋三好《みよし》屋のひとり息子である。歳《とし》も十《とお》ばかり、茂七から見たら、下手をすれば孫に当たる年頃だ。

茂七は鼻白んだ。かみさんの言うことはもっともで、それは茂七だってよくわかっているのである。だが、こと日道の話となると、どうにも、腹が煮えてたまらない。以前そのことを権三に話したら、「親分は、心の底では、あの小さい拝み屋さんが哀れだと思っていなさるんですよ。だから腹が立つんです」と言われたことがある。

かみさんが茶碗《ちゃわん》に大盛りにした菜飯に手をあわせてから、糸吉はどっとかぶりついた。飯を食い食い、忙しくしゃべる。

「あっしもここんとこは御用が忙しくて、ごくらく湯にはとんとご無沙汰《ぶさた》だったでしょう。で、今朝がたちょっと顔を出してみたら、親父《おやじ》さんがいきなり言うんですよ。日道さまが刺客に襲われたって話、知ってるかって」

昨夜《ゆうべ》のことだという。日道は、竪川《たてかわ》の二ツ目橋《ふためばし》近くの商家まで、頼まれて拝みに出かけた帰り道、弥勒寺《みろくじ》近くの両側を武家屋敷にはさまれた暗がりで、数人の男たちに襲われたのだ。男たちは一見してやさぐれ者たちばかりで、刃物こそ持っていなかったが、日道を駕籠《かご》から引きずり出し、さんざん殴ったり蹴《け》ったりした上で、一緒にいた日道の父親と母親を脅しつけ、有り金を奪って逃げていったのだそうだ。ふた親には日道ほどの怪我はなく、ただ、日道が殴られているあいだ、手出しすることができないよう、一味に羽交い締めにされていたという。

「で、怪我の具合はどうなんだ」

「命は助かりそうだっていうんですけどね。でも、なんせ子供のことでしょう。小さいし細いし、したたか殴られて、当分寝ついちまいそうだって噂《うわさ》ですよ」

ごくらく湯は北森下町《きたもりしたちょう》にある。日道の襲われた場所のすぐ近くだ。それで親父は騒ぎを知り、日道たちが三好屋へ帰る手助けもしてやったそうなのだが、一段落してごくらく湯に帰ってふと見ると、両手や着物の胸のあたりに血がいっぱいくっついていたという。

春の香りの菜飯が急に味気ないものに思えてきて、茂七は茶碗を置いた。

「三好屋じゃ、お上に訴え出たんだろうな？」

糸吉は飯粒を飛ばしながら首をひねった。

「どうでしょうねえ」

「そりゃ、訴えたでしょう」と、落ち着き払って権三が言う。「こりゃ、立派な追剥《おいは》ぎでしょうから」

「それにしちゃ、俺の耳には何も入ってこねえぞ」

茂七が手札《てふだ》を受けている同心は加納新之介《かのうしんのすけ》という旦那《だんな》だが、茂七がずっと馴染《なじ》みのあった古株の伊藤という同心が病で急逝したあと、代わりにやってきた人で、まだ歳も若いし経験も浅い。その分、茂七の働きには一目も二目も置いてくれているので、何か聞きつければ必ず茂七に知らせてくれるはずなのだ。

「ちょいと、三好屋に顔を出してみるか」

すかさず、かみさんが言った。「怖い顔で行ったら駄目ですよ。相手は子供で、しかも今は怪我人なんだからね」

「わかってるよ」

「三好屋のご夫婦も気の毒に……」かみさんはしょんぼりと肩を落としている。「子供が殴られたり蹴られたりしてるのを見せられるなんて、親としちゃ死ぬほど辛《つら》かったでしょうよ」

御船蔵裏まで急ぎ足で歩いてゆくあいだに、そこここで桜の花を目にした。大川《おおかわ》を渡って吹いてくる風も温《ぬる》んで、素面《しらふ》でも浮かれ出たくなるような日和《ひより》だ。だが、茂七はずっと渋面《しぶつら》で、懐《ふところ》に漬け物石でも抱いているような気分だった。

三好屋では、お店の方は普通に商いをしていた。相変わらず繁盛《はんじょう》しているようで、客も多い。茂七が、店先で前垂れを春風にひらひらさせながら立ち働いていた若い奉公人に声をかけると、相手は一瞬絶句した。

「え、親分がどうしてご存じなんですか」

「こういう話は足が速いんだ。日道の具合はどうなんだね」

「寝ついておられますけれど……」

もじもじと前垂れをいじる。

「俺の縄張《しま》で、子供を痛めつけるなんていう性質《たち》の悪い追剝ぎがあったと聞いちゃ、捨ててはおけねえ。どうやら三好屋さんじゃあまり俺を信用してくれてねえような風向きだが、せめて話ぐらいはちゃんと聞かせてもらえねえもんかね」

若い奉公人は大いにあわてた。忙しく頭を下げたり手を振ったりして、

「いえ、けっして親分さんを粗略にしようなんて心づもりはございません。ただ、何

分ことがことでございますから、まだ旦那さまもお内儀《かみ》さんもとりのぼせておりますようで」

店の裏手に回り、茂七は三好屋の住まいの方へと通された。案内に出てきたのは見るからに手強《てごわ》そうな年かさの女中で、女中頭のたきでございますと名乗った。なんとなく喧嘩腰《けんかごし》の風情《ふぜい》で、茂七はちょっとげんなりした。

「長助坊やの具合はどうだね」

おたきはきつい目をして茂七を睨《にら》んだ。

「日道さまはお寝《やす》みでございますよ」

「話はできねえか」

「お医者の先生からきつく止められています」

「なあ、おたきさんとやら。俺はこれでも、長助坊やがひどい目に遭わされたと聞いて、放っちゃおけねえと飛んできたんだよ。仇《あだ》や敵《かたき》を見るような目で見ないでくれねえかね」

おたきは怖い顔のままだった。「でも、親分さんは日道さまのお力を信じてないんでしょう?」

「この目で見たわけじゃねえからな」茂七は素直に認めた。「だが、それとこれとは別だ」

それでもまだ、おたきは（本当かしら）というような顔をしていたが、茂七を座敷に通しておいて、奥へと消えた。しばらくすると足音が近づいてきて、顔を出したのは三好屋の当主、日道の父親である半次郎《はんじろう》だった。

茂七は、彼と会うのはこれが初めてのことである。茂七は、日道の霊力が本物であれ偽物《にせもの》であれ、幼い子供を正面に立てて商いをするような親は信用ができないと思っているので、半次郎の人物に対して、いい感情は抱いていない。いつか機会があったらいろいろな意味でぎゃふんと言わせてやりたいという腹はずっと持っていたから、正直言って、目の前に現れた半次郎が、まるで病人のようにやつれて目を落ちくぼませているのを見て、なんとも目のやり場に困った。

「親分さんには、ご丁寧にお運びいただきまして」

一礼して進み出る半次郎の足許《あしもと》さえおぼつかない。

「大変な目に遭いなすったね。坊やの具合はどうです？」

「命はとりとめたようですが……」半次郎は目をしょぼしょぼさせた。

「どこの先生に診てもらってるんです？」

「浅草の馬道町《うまみちちょう》に、打ち身や骨折をよく治す先生がおられると聞きまして、おいで願いました。桂庵《けいあん》先生とおっしゃいます」

「で、診立てのほどは」

「すっかり元通りになるまでには、半年や一年はかかるだろうというおおせです」半次郎はため息を吐《つ》いた。「子供のころに大怪我をすると、大人になるまでのあいだにきれいに治る場合もあれば、傷を受けたところが歪《ゆが》んでしまう場合もある。どっちになるか、こればかりは時と運に任せないとわからないが、とにかく精一杯治療しようと言ってくださいました」

腕がいいという評判を持ちながら、大丈夫私に任せなさいなどと軽いことを言わないところ、なかなか立派な医者である。茂七は少し安堵《あんど》した。

「さっきも女中頭のおたきさんに言っていたところなんだが」茂七は座り直して半次郎に向き直った。「日頃のいきさつは別として、俺はね三好屋さん、子供を叩《たた》きのめすような不届きな追剝ぎを、俺の縄張にのさばらせておくわけにはいかないんだ。きっと捕まえてみせるつもりだよ。昨夜どういうことがあったのか、正直に話しちゃくれねえかね」

半次郎はうつむいている。目が涙目になっているようだ。

「あんたら、昨夜のことをお上に訴え出ていなさらんようだが、何かはばかることがあるのかい?」

「はばかることと申しますと」

茂七は答えずに、黙って半次郎の顔を見つめた。言わなくても半次郎にはわかっているはずだと思った。

半次郎は、助けを求めるかのように、ちらちらと座敷を見回した。あいにく、誰もいないし誰も来ない。床の間の掛け軸は恵比寿《えびす》鯛釣《たいつ》りの図だったが、にこにこ笑う恵比寿様も、商いの助けはしてくれるだろうけれど、今の半次郎の助太刀にはならないようだった。

半次郎は諦《あきら》めた。どのみち、茂七が出張《でば》ってきた以上、隠してもいつかは知れることだと思ったのだろう。馬鹿《ばか》ではないのだ。

「伏せておくようにと、相生屋《あいおいや》さんから頼まれまして……」

「昨夜訪ねた二ツ目橋の商人かい?」

「はい。私どもが昨夜のことを表沙汰《おもてざた》にしますと、お上のお調べは相生屋さんの方にまで行きますでしょう?」

「そりゃそうだ」

「私どもが、相生屋さんに何を頼まれて出向いていったのか知れてしまいますわな」

茂七はうなずいた。半次郎は肩を落とした。

「先様《さきさま》では、それが困るというのです。確かに、外聞の悪いことでしたから」

「いったい、相生屋に何を頼まれた」

半次郎がとつとつと話すには、二ツ目橋の相生屋は鼈甲《べっこう》や櫛《くし》、傘を扱う問屋なのだが、本家本店は深川仲町《ふかがわなかちょう》にあり、二ツ目橋は分家なのだそうだ。分家の当主は相生屋の長男坊で、本来なら仲町の家を継ぐべき伜《せがれ》なのだが、若いころの放蕩《ほうとう》がたたって親に疎《うと》まれ、ごたごたがあった末に本家は次男が継ぎ、長男は分家へ出されてしまったという次第。

「ですから、本家と分家はひどく仲が悪いんです」

「珍しい話じゃねえな」

はいとうなずいて、半次郎はまたきょときょとと目を動かした。茂七は、これは助太刀を探しているわけではなく、この男の癖なのだと、そのとき気づいた。こういう目つきを、他所《よそ》でもよく見かけるような気もした。

「昨夜のお頼みは――その――本家のご当主が今、病で臥《ふ》せっておられるとかでね、その病が本復しないように祈禱《きとう》してくれということだったんです」

茂七は呆《あき》れたが、思わず吹き出した。

「そりゃあ外聞が悪いわな。しかし小せえ話だ。何かい、本家の当主が死ねば、分家の主人が戻って身代《しんだい》を継げるとでも思ってるのかね」

「それだけでもないようですよ。とにかく憎い憎たらしいという気持ちの方が勝《まさ》ってるようでしたからねえ」

身内でもめ事があってこじれると、往々にしてこういう始末の悪いことにもつれこむ。

「しかし、そんな祈禱を頼む方も頼む方だが、引き受ける方もどうかしてる。だいたい、長助にそんなことができるのかい？」

むっとした顔の半次郎に、茂七は急いで言った。「いや、俺も長助の噂は聞いてるよ。失《う》せ物《もの》探しや憑《つ》き物《もの》落としをよくするってな。だがな、たとえ長助にそういう力があるにしたって、そのことと、人を呪《のろ》うようなことをする力や技なんかとは、また別のもんじゃねえのかい？」

「できますよ、日道さまには」と、半次郎はぶっきらぼうに答えた。「それに親分さん、親分さんおひとりのときにはなんと呼んでもよろしいですけどね、私どもにとってはあの子は日道さまなんです。そう呼んでいただきたいですね」

内心、茂七は苦り切ったが、余計なことは言わなかった。それに、半次郎の話には大いに興味をそそられた。

相生屋がそういう目的で日道を呼んだのならば、その帰り道に襲った男たちは、相生屋の本家の手の者だ――ということも考えられるからだ。もしも、本家の者たちが、分家が本家の当主を呪い殺そうとしているなどということを知ったらば、腹も立てるだろうしそのまま放ってもおくまい。荒くれ男を金で雇い、日道が相生屋分家の依頼に応じることができなくなるよう、叩きのめさせたという筋は充分にあり得る。

ところが、茂七がそれらの考えを口に出したわけでもないのに、半次郎は首を振った。

「親分さんが、相生屋本家の人たちをお疑いなら、それはありませんですよ」

茂七は驚いた。半次郎、ますます馬鹿ではない。

「なんでだい？」

「いや……これはその……」半次郎はもじもじした。「なんとなくそう思うだけで」

「なんとなくじゃわからねえ。根拠があるんだろう」

半次郎の黒い瞳《ひとみ》が、目の玉のなかで、煮え立つ湯に放り込まれた豆の粒みたいに激しく動いた。

それで、茂七にもピンときた。

「おめえまさか……本家の方からも何か頼まれてるんじゃねえだろうな？」

半次郎は顎《あご》を前に押し出すようにしてうなずいた。「実はそうなんでして」

呆れかえる話だ。

「何を頼まれてる？」

「そちらは、病の本復祈願で」

「出鱈目《でたらめ》なことをやりやがるなあ！」

しかし、半次郎はしゃらっとした顔になった。

「でも親分さん、片方で呪って、片方でそれを防ぐ祈禱をすれば、釣り合いがとれてよろしいじゃございませんか。帳消しになりますからね。そうすれば、自然に任せて、元々治る病人なら治るし、死ぬ病人なら死ぬでしょう」

「見料《けんりょう》も、両方からもらえるしな」茂七は精一杯嫌味をきかせて言った。「だけど、どっちかの祈禱は効かなかったことになるんだ。そのときには、効かなかった側の見料は返すのかい？」

「いいえ。ただ、最後の御礼をもらわないだけですよ」

床の間の恵比寿鯛釣り図の下には、いくら繁盛しているとはいえ三好屋程度の身代の商人の家には不釣り合いな青磁《せいじ》の壺《つぼ》がでんと据えてある。その因《よ》って来《きた》る所以《ゆえん》のところを、茂七は垣間見《かいまみ》た気がした。半次郎はまたも鋭く、茂七の視線の先に何があるかを見てとったのか、心なしか自慢げに言った。

「長崎からわざわざ取り寄せた逸品ですよ」

どうやらその逸品のなかには、三好屋半次郎の「良心」なるものの遺骨と灰が納められているようである。

茂七は話の風向きを変えることにした。この線で半次郎と話し続けていると、昼飯に食った菜飯が胃の腑《ふ》にもたれてきそうだ。

「昨夜あんたらを襲った男たちは、何か言ったりしなかったかい？」

「何か言う？」

「ああ。金を出せとかおとなしくしろとか言うほかに、日道を殴りつけたりしているときにな、たとえば、もう拝み屋なんぞやめろとか、命が惜しかったらどこどこには近づくなとか、そんなようなことを」

「日道さま、ですよ」半次郎はしっこく念を押した。「さあ、はっきりとそういうことは申しませんでしたね。ただ、当分足腰立たなくしてやるんだこのいんちき坊主《ぼうず》などとわめいていました」

そのときのことを思い出したのか、半次郎の顔が歪んだ。親の顔に戻って歪んだのが半分、日道をいんちき呼ばわりされたことで、残りの半分。

「どう考えても、ただの追剥《おいは》ぎじゃねえな」と、茂七は言った。「あんたらが誰だか知っていて、狙《ねら》いをつけて襲ってきたんだ。金を盗《と》ったのは行きがけの駄賃で、本当の目的は最初《はな》から日道——さまを痛めつけることにあったんだろう」

「私もそう思います」

「となると、誰が連中を差し向けたのか探り出すためには、あんたらの商売の中身を調べてみなくちゃならなくなる。誰にしろ、あんたらに深い恨みを持っている人間が、意趣をはらすためにやらせたことだろうからな」

昨夜のことをお上に届け出なかったのは、相生屋分家の意向もあったろうが、それ以上に、これを機会にいろいろと小ずるいことをやっているのがばれてしまっては困るという、半次郎たちの側の思惑も大きかったのだろう。まったく、なんて連中だと茂七は思った。

「それともうひとつ考えられるのは、商売仇《がたき》だ。日道さまが流行《はや》り始めたんで、冷や飯を食ったりお茶をひく羽目になった巫女《みこ》さんや拝み屋がいるだろう。そういう連中は、あんたらのことを面白く思ってないはずだからな」

半次郎はちょっと怯《おび》えたような目をした。

「それは考えていませんでした」

よほど後ろめたいことが多くて、そちらの方にばかり頭がいっていたのだろう。

「どっちにしろ、これについちゃ、あんたらから話を聞き出して、探っていかなきゃどうにもならんことだ。今まで引き受けた祈禱だの憑き物落としだののなかで、見料のことでもめたとか、効き目がなくて悶着《もんちゃく》がおきたとか、そういう類《たぐい》のことはなかったかい？　商売仇らしい奴《やつ》らから、嫌がらせを受けたことはなかったか？」

「さて……すぐには何とも」

「そんなら、二、三日考えてみてくれ。思い出したことがあったら書き留めてくれてもいいよ」

半次郎は軽く首をすくめた。「私は無筆なもので」

これには驚いた。実を言えば茂七も、読み書きは岡っ引き稼業《かぎょう》に入ってから見よう見まねで覚えたもので、今でも漢字は苦手である。だが、三好屋当主の半次郎が無筆とは。

「お内儀《かみ》さんは」

「あれは筆まめです」

「じゃあ、頼んで書いてもらってくれ。どんな小さなことでもいいからな。できたら、そういうことがあった大方の日付もわかると助かる」

帰り際《ぎわ》になって、茂七は、ちらっと日道さまを見舞っちゃいけないかと持ちかけてみた。半次郎は承知したが、眠っているから声はかけないでくれと言った。

半次郎の後をついて廊下をたどってゆくうちに、鼻の曲がりそうなひどい臭《にお》いを感じ始めた。思わず顔をしかめていると、

「膏薬《こうやく》の臭いなんですよ」と、半次郎が言った。「桂庵先生特製の膏薬でしてね。打ち身にはめっぽうよく効くそうで、確かに臭いですが、この膏薬ほしさに江戸中から桂庵先生を訪ねてくる人が引きも切らないそうです」

日道の部屋は、茂七の通された座敷の奥の階段をあがり、二階のとっつきにあった。張り替えられたばかりなのだろう、真新しい唐紙《からかみ》は真っ白だ。柄も何もない。下手な絵がついていると気が散じると言って、日道が嫌うのだそうだ。

半次郎は声をかけず、唐紙をそっと開けた。膏薬の臭いが強くなった。茂七は、以前、かみさんが買ってきた卵を腐らせてしまい、ただ捨てるのも汚いと言ってそれを竈《かまど》に放り込んだときのことを思い出した。

座敷の中央に、絹の布団《ふとん》がのべてある。夜着《よぎ》がふわりと掛けられており、真ん中が少しふくらんでいた。日道は、夜着に潜り込んで眠っているらしい。まるで、何かか

ら隠れようとしているみたいだ。頭のところがちょっとのぞいているだけで、その頭も、真っ白な晒《さらし》に包まれていた。

十歳ばかりの男の子の部屋だというのに、およそ殺風景なほどきれいに片づけられており、玩具《おもちゃ》の類も見あたらない。ここで日頃、長助は何をしているのだろうと茂七は思った。

「身体中《からだじゅう》、晒ぐるぐる巻きでございますよ」さすがにうなだれて、半次郎が言った。「足は両方折れてます。鼻もつぶされましてね。あの子の可愛《かわい》い顔が台無しだ」

長くとどまることはできなかった。

「おい、早く元気になるんだぞ」

小さくそう声をかけて、茂七はそこを離れた。

二

それから数日のあいだ、茂七はひとまず、先《せん》から抱えていた仕事の方を片づけることに熱中した。この春、冬木町《ふゆきちょう》から仲町のあたりにかけてひんぴんと盗みが起こり、そちらの探索に追われていたのである。一方で、誰かが猿江《さるえ》神社の社殿に不心得な落書きをしたうえ、墓石をいくつか倒していったという面妖《めんよう》な事件も起こり、お寺社からの依頼を受けて加納の旦那《だんな》が乗りだしたので、そっちの手伝いもあった。茂七たち一党にとっては、御用繁多の春であったのだ。

それでも、仲町に出向いていったとき、ぶらりと相生屋本店には立ち寄ってみた。そのときは権三が一緒で、相生屋の構えが大きいのと、お店の一部で小売りされている品物の高いのとに目をぱちぱちさせていたが、茂七が三好屋半次郎から聞いた話をしてみると、権三は、おとなしい彼にしては珍しく頭をのけぞらせて笑った。

「そりゃあ、親分、半次郎にいくら時をやっても、これまでのいきさつなんか、書いてよこしやしませんよ」

「おめえもそう思うか」

「ええ。半次郎にしてみれば、長助がよくなってほとぼりが冷めればそれでいいんですからね。それに、三好屋じゃ用心棒に浪人者を雇ったという噂《うわさ》も聞きますよ」

権三の言うとおり、猿江神社の件が解決し、茂七がひと息ついて三好屋のことを考え始めるころになっても、半次郎はうんともすんとも言ってこなかった。念のため、三好屋の奉公人たちに、日道を叩《たた》きのめした連中が、首尾を確かめに店の周りをうろつくようなことがあるかもしれないから、見慣れない顔を見つけたらすぐに知らせてくれと言い含めておいたのだが、そちらの方も返事がない。

「弱ったな。頭っから俺たちだけで探索しねえと始まらねえか」

茂七はちょっと思案をし、浄心寺《じょうしんじ》裏でなかなか元気に商いをしている読売屋《よみうりや》を訪ねて、話の出所《でどころ》は伏せた上で、日道が襲われたことを書きたててくれまいかと頼んだ。この読売屋は、茂七がこの手のことをするときに力を借りるところで、今回もふたつ返事で引き受けてくれた。その日の午後には、日道さまが追剝ぎに遭いなすったという読売りが、本所深川《ほんじょふかがわ》だけでなく、大川の向こう側にも出回ることとなった。

「思ってた以上に、日道の名前は知られてるんだな」

読売りが出回ると、その巻き起こした話題の大きさに、茂七は大いに驚いた。かみさんは笑っている。

「はるばる八王子の方からあの子に拝んでもらいに来る人だっているそうですからね」

三好屋からは、この話を漏らしたのは親分じゃありませんかというきつい剣つくが来たが、茂七は知らぬ顔をしていた。遣いの奉公人に日道の様子を尋ねると、どうにか話ができるようになり、重湯《おもゆ》も飲んでいるという。それなら、近い内に会いに行こうかと茂七は考えた。日道本人の口からも、襲われる心当たりがあるかどうか訊《き》きたいところだ。

　しかしその前に、茂七は先に梶屋《かじや》を訪ねることにした。表向きは船宿だが、裏へ回れば深川一帯を仕切っているやくざ者の巣窟《そうくつ》である梶屋の主人・勝蔵《かつぞう》に渡りをつければ、少なくとも、誰かに雇われて日道を襲った男たちを見つけることはできるのじゃないかと考えたのだ。

「親分がじきじきに行きなさることはねえでしょう。あっしらが行って、まず三下《さんした》と話をつけてきますよ」

　権三は止めたが、茂七はじかに勝蔵と話をしたかった。例の親父《おやじ》との一件があるからである。正体不明のあの親父と勝蔵との関わりが、茂七には気になって仕方がない。

　例の親父とは、富岡橋のたもとに出ている稲荷寿司《いなりずし》屋台の親父である。めっぽう旨《うま》いものを食わせてくれ、そのうえ、茂七が行き悩んでいるとき、ぱっと周りが開けるような助言をそれとなく投げてくれるこの親父、元は武士であったようだが、どうにも前身の見当がつかない。ただ、あれこれの出来事と考えあわせると、どうも梶屋の勝蔵と知り合い——いや、血縁でさえあるような匂《にお》いがする。だとすれば、かなり突飛な組み合わせだ。

　まっこうから訊くことはできなくても、一度勝蔵とふたりで話すことができれば、少しは思案の材料も集めることができるだろう。茂七としては、こういう機会を待っていたのである。

ぶらりぶらりと梶屋を訪ねてゆくと、まだ軒先の掛行灯《かけあんどん》の文字さえ読めない距離にいるうちに、勝蔵の手下《てか》の若い男たちがわらわらと寄ってきた。

「天気がいいから、おめえたちも散歩かい」

梶屋の面した掘割には、猪牙舟《ちょきぶね》が二艘《そう》もやってあり、春の水にゆっくりと揺れている。若い男たちは表向きは船頭ということになっているのだが、手には櫓《ろ》を漕《こ》いでできるはずの胼胝《たこ》もなく、顔はつるりと白くて日焼けの影もない。

「親分さんはどちらにお出かけで」

「おめえらの大将に会いに来たのよ。いるかい？」

男たちはちらちらと目配せをしあった。

「旦那はお客人と会ってるところです」

「なら、待たせてもらおう」茂七はまっすぐに梶屋へと進んだ。「座敷をひとつとってくれ。酒ももらおうか。俺だって、昼から花見酒の一杯もひっかけたところで罰はあたるめえ」

「申し訳ござんせんが、あいにく座敷は一杯で」

茂七は、梶屋の二階の開け放たれた障子窓を見上げた。そこに布団が干してある。

「あの座敷でいいぜ」

「あすこにもお客がいるんでして」若い男がひとり、口許《くちもと》をひん曲げて笑った。

「お客が布団干しに来るのかい？」

言い捨てて、なおも梶屋にあがろうとすると、男たちは茂七の前に立ちふさがった。

「腰に十手《じって》で梶屋にあがろうってのは、親分さんにしちゃ粗忽《そこつ》ですね」

茂七は笑って頭を振った。「俺は勝蔵をひっくくりに来たわけじゃねえ。用があって来たんだ。頼み事があってな」

隠すことはない。取り囲んでいる男たちに、日道の件を話してみた。

「子供を殴るなんざ、男の屑《くず》だ。そうは思わねえか？　そんな連中に、おめえらの縄《し》張《ま》でもあるこの深川を大手を振って歩き回らせておいちゃ、梶屋の名がすたるってもんじゃねえのかね」

男たちは動揺したのか、茂七を取り囲む輪がちょっと乱れた。茂七はそこを走って突破してやろうと思った。が、そのとき、梶屋の入口を入ったところの階段を降りて、のっそりと勝蔵その人が姿を現した。

「うるせえ蝿《はえ》だ」と、茂七を睨《にら》んで吐き捨てた。諸肌脱《もろはだぬ》ぎで、太りじしの腹が見えている。

「聞いてたか。そんなら話は早い」

「拝み坊主《ぼうず》のことなんか、俺の知ったことじゃねえや」

茂七は笑った。「どうやらおめえ、灸《きゅう》を据えてるところだったらしいな」

勝蔵の太い肩に、もぐさの残りがくっついている。梶屋の戸口には、按摩《あんま》の杖《つえ》が立てかけてある。

「どっか具合が悪いのかい？　そのうちおめえだって、病本《やまい》復を願って日道さまに拝んでもらう時がくるかもしれねえぞ」

「口の減らねえ野郎だ」

「俺に文句は百でも言うがいいさ。だがな、さっきも言ったが、子供を足腰立たなくなるほど殴りつける野郎が、おめえの縄張を荒らしたんだぞ。放っておいていいのかね」

勝蔵は三白眼をさらに白くして茂七をねめつけた。

「岡っ引きなんかを、俺の座敷にあげるわけにはいかねえ」

「俺だって、おめえとさしで酒を飲もうとやって来たわけじゃねえんだ」

それができたら、屋台の親父の謎《なぞ》も解けやすくなるのだが。

「用件だけが通ればいい。どうだ、引き受けてくれるか」

勝蔵は手下の男たちを見た。皆、勝蔵の合図ひとつで茂七に飛びかかってくるだろう。が、勝蔵はびくりとも動かず、やがて低いだみ声でこう言った。

「頼まれたから探すわけじゃねえ。縄張を荒らされちゃ、俺の顔がつぶれるから探すんだ」

茂七は喜んだ。「名目はなんでもいいさ」

日道を叩きのめした連中を見つけたら、袋叩きにしたりしないで俺に知らせてくれと、念を押した。

「俺の用が済んだ後なら、連中にどんなきつい灸を据えてくれてもかまわねえがね」

勝蔵はのしのしと引き上げていった。茂七も踵《きびす》を返した。実はこのとき、十手は差していなかったのだが、それを口にする暇がなかった。

やがて桜はすっかり咲き揃《そろ》い、枝を飾って満開の花の宴《うたげ》のころとなった。勝蔵からの知らせはまだない。この件を片づけないうちは酒も旨くないし、今年は花見もお預けだなと思っているところに、茂七の許に来客があった。

あたりが来たのである。読売りを頼んだ甲斐《かい》があった。その客は若い娘で、日道さまが襲われたことについて、襲った相手に心当たりがあるというのであった。

娘の名はお夏《なつ》。歳《とし》は十八。身体《からだ》は小さいが気の勝《まさ》った娘のようで、たったひとりで茂七を訪ねてきて、物怖《ものお》じした様子も見せない。最初は日道さまのところへ相談に行こうかと思ったのだけれど、あちらではそれどころじゃないかもしれないと思い直し、道々、この土地の岡っ引きの親分はどこにお住まいかと人に訊きながらやってきたという。

「あたしは、神田《かんだ》皆川町《みながわちょう》の伊勢屋《いせや》で女中奉公をしています」

粗末だが清潔ななりをしたお夏は、きちんと膝《ひざ》をそろえ手をついて挨拶《あいさつ》をして、切り出した。

「伊勢屋は大きなお店で、味噌《みそ》問屋です。奉公にあがって、五年になります」

「躾《しつけ》の厳しいお店なんだな」と、茂七は微笑した。「そうかしこまらねえでいいよ。楽にしな」

お夏は「はい」とうなずいたが、背筋をしゃんと伸ばしたまま、ひどく神妙な顔をしている。見るからに生真面目《きまじめ》そうな娘だが、目の下のあたりがくたびれたように黒ずんでいるのが痛々しい。

「で、あんたは日道に拝んでもらったことがあるのかい？」

「いいえ。あたしがお願いしたのは人探しなんです」

お夏の許婚者《いいなずけ》で、同じ伊勢屋に住み込んでいる清一《せいいち》という男を探してほしいと頼みに行ったのだという。

「日道さまの噂は神田あたりにも聞こえてましたから、きっと清一さんを見つけてくれると思ったんです」

清一は伊勢屋の奉公人と言っても、手代だ番頭だというのではなく、力仕事を主《おも》にする下男なのだそうだ。

「あの人がお店でもっと偉くなる人なら、旦那さまやお内儀《かみ》さんたちにも反対されたでしょうけれど、あたしたちふたりとも下働きですから、所帯を持ちたいってお願いしたら、すぐに許していただけました。そのうえ、旦那さまが請け人になってくださったんで、あたしたち長屋に入ることもできそうだったんです。本当なら、今ごろはとっくに所帯を持って、ふたりで暮らしてるはずでした」

ところが——

「ちょうどひと月くらい前ですけれど、清一さんがいなくなっちまったんです」

一日の仕事を終え、夕飯を済ませ、湯に行くと言って出たきり戻らないのだという。

茂七は訊いた。「出かけるときは、湯に行く支度をしてたかい?」

それがはっきりしないのだと、お夏は言う。

「あたしは台所にいて、行ってくるよって言う清一さんの声を聞いただけでした。あとでお店の人たちに訊いても、よくわかりませんでした」

住み込みの奉公人には、自分の勝手気ままにできる時間はほとんどない。遣いの行き帰りさえ走って行って走って戻るというくらいだ。何とか出かけられるとしたら、仕事が終わって寝るまでのわずかな時間だろう。だから、湯に行くというのは口実で、どこかほかに行ったのかもしれなかった。

「以前にも、湯に行って帰ってくるのがひどく遅くなったということはなかったかい？」

「なかったと思います。親分さんがおっしゃったように、伊勢屋は躾が厳しいですから」

「じゃ、清一さんが、いつか誰かに会いにゆくとかなんとか言ってたことはなかったかね」

お夏はかくりとうなずいた。「ありました。あたしと所帯を持つことが決まったころから、しょっちゅう言ってました」

誰とは言わない。だが、妙に気張った顔をして、

(所帯を持って、俺も一人前になるんだ。そのことを、どうしても会って知らせておきたい人がいるんだ)

独り言のように呟《つぶや》くことがあったという。

「嬉《うれ》しそうな様子だったかい?」

「さあ……あたしには、なんか怒ってるみたいに聞こえたことの方が多かったです。だからあたしも、強いて、それは誰のことかって訊けなくて。怖いようで」

しかし、消えた清一を探すのに、手がかりといったらそんな謎めいた台詞《せりふ》しかない。お夏は伊勢屋の主人夫婦に頼み込み、食も減らし寝る時間を削って心当たりを探し回ったが、清一の行方はまったくわからなかった。

「それで、日道を訪ねたというわけか」

お夏には少ないが蓄えがあった。それをはたくつもりで三好屋へ行ってみたのだが、最初は断られてしまった。お夏の出す金では、決まりの見料の半分にも満たないというのである。

だがお夏にはもうほかに手がない。必死で毎日通い、玄関先で土下座して頼み込むと、日道その人が出てきて、可哀相《かわいそう》だから見てあげようと言ってくれたという。お夏が心をこめて「日道さま」と呼ぶのは、そのときの感謝を忘れていないからであるようだ。

「日道さまは、清一さんの持ち物を何か持ってくるようにとおっしゃいました」

そこでお夏は、彼の着物を持っていった。すると日道はそれを霊視し、ほとんど即座に、気の毒だけれどこの人は死んでいると言った。

お夏の声が、ここで割れた。辛《つら》いのだろう。泣くまいとこらえる口許が、下手な仕立物の縫い目のように引きつった。

「清一さんがひどい怪我《けが》をしているのが見える。あれでは、たぶん死んでいるだろうって。場所はまだよくわからない。もっとよく見てみるから、二、三日この着物を貸してくれって」

数日おいて、日道から遣いが来た。お夏が飛んで行ってみると、清一のいる場所が「見えた」という。

「深川の内のどこかで、広い庭に、江戸じゃ珍しい大きなしだれ桜のある家のなかだっておっしゃるんです。清一さんはそこで怪我をしたかさせられたかして命を落として、そのしだれ桜の根元に埋められてるっていうんです」

しだれ桜という手がかりひとつを頼りに、お夏は必死で深川中を探した。躾は厳しくても情には厚いのか、伊勢屋主人夫婦もお夏を哀れみ、彼女が出歩くことを許してくれただけでなく、お夏や清一の仲間である奉公人をひとり、手伝いにつけてくれた。ただし、期限は半月と区切って。半月たって見つからなかったら諦《あきら》めろというのだ。しかし、お夏の執念は天に届いた。期限ぎりぎりになって、ついにしだれ桜の大木のある家を見つけることができたのだ。

「深川の十万坪にある、角田《つのだ》っていう地主の屋敷なんです」

ほう……と、茂七は声に出して言った。十万坪の角田と言ったら、大地主である。当主はたしか角田七《しち》右《え》衛門《もん》。茂七とおっつかっつの年頃のはずだが、その身代と言ったら茂七が一生かかったって稼ぎ出すことのできる嵩《かさ》ではない。

お夏は角田家を訪ねた。当然のことながら相手にはしてもらえなかった。先方としては、もの狂いのような若い女に突然押し掛けられ、迷惑千万というところだったのだろう。

「だけど、あたしが清一さんの名前を出したとき、ちょっとだけひるんだような顔をしました。相手をしてくれたのは角田の家の女中さんだったけど、確かに、顔色が変わったんです」

お夏はこれに力を得て食い下がった。毎日通った。するとあるとき、当主の七右衛門がじきじきに勝手口まで出てきて、乱暴にお夏を外に追い出し、小粒をいくらか投げつけて、これで諦めて帰れと怒鳴りつけた。

悔し涙がこみあげてきたのか、お夏はぐっとこらえて顎《あご》を引いた。気丈に言葉を続けたが、口が震えた。

「あたし、けっして諦めないって怒鳴り返しました。清一さんもあたしも、身よりなんかありません。ふたりとも捨て子で、今の奉公先をつかむまで、死ぬような苦労をして、やっとここまで来たんです。あたしには、清一さんがたったひとりの家族なんです。清一さんにとっても、あたしひとりが身内なんです。見捨てることなんかできませんって」

お夏は、今も七右衛門が目の前にいるかのように、声を振り絞った。

「あたし、そのときに、日道さまに霊視でここを突き止めてもらったんだってことも言っちまったんです。清一さんはあのしだれ桜の下に埋められてるんだ、あたしは知ってるって」

とうとう、お夏の勝ち気そうな目から涙が落ちた。お夏の見たところでは、しだれ桜の根元の土が、掘り起こされたばかりのようになっていたともいう。

「で、それ以後はどうした」茂七は優しく促した。「半月はとうに経《た》っちまってるだろうに」

「どうにもできやしません。おっしゃるとおり、期限も切れたし。あたし、お店をやめる覚悟でいたんですけど、旦那《だんな》さまに叱《しか》られて止められました」

伊勢屋の主人は、日道の言うことがどこまであてにできるかわからない、あてもないことに賭《か》けて、他人様に人殺しの疑いをかけるなんてもってのほかだ、どういう事情で姿を消したにしろ、清一は、生きていればきっと帰ってくるだろうし、帰って来なければそれだけの男だったのだと思って諦めろと、お夏を諭したそうだ。

「それでおめえは、日道を襲わせたのが、角田七右衛門だと思うわけだな？」

お夏の目が光った。涙の名残のせいではなく、内側から、まるで剣のきっ先がひらめくように鋭く。

「そうに決まってます。角田の人たち、日道さまにもっとあれこれ霊視されたら困るから、それであんなひどいことをやったんです」

茂七は懐《ふところ》で腕を組んだ。お夏の言い分はよくわかるし、話の筋道も通る。角田七右衛門には怪しいところがありそうだ。何も後ろ暗いことがないのなら、闇雲《やみくも》にお夏に辛く当たったりせず、説いて聞かせて帰らせれば済むところなのに、犬に餌《えさ》を投げるように金を投げ与えて追い返そうとしたところなど、茂七の心に引っかかる。とりあえず、十万坪に行ってみるだけの価値のある話を聞いたと思った。

三

深川は埋め立てで造られた新開地である。大川に近い方ほどよく開け、町も混み合い、門前町はにぎわいお茶屋や遊郭は人を集める。だが、東へ進んで下総《しもうさ》の国が近くなればなるほど、町屋は少なくなり、田畑がつらなり、元々の素顔であるだっ広い埋め立て地の顔が露《あらわ》になってくる。

通称十万坪・六万坪と呼ばれるあたりは、一面に田圃《たんぼ》が広がり、ところどころに地主の屋敷や大大名の広大な下屋敷が点在する場所だ。あまりにも広く、空は高く、掘割は青く、江戸の洒落《しゃれ》のめした匂《にお》いに代わり、稲の青臭さと肥やしの臭《にお》いが風に乗って運ばれてくる。

地主の角田七右衛門の屋敷は、十万坪の西側に、一橋《ひとつばし》様の呆《あき》れるほど大きなお屋敷をはばかるように、少し南へさがったところに田圃に囲まれて建っていた。母屋《おもや》と離れを植え込みが囲み、掘割から水を引いて庭には池をこしらえてある。

「でかいですねえ」

あぜ道を歩きにくそうに進みながら、糸吉が感嘆の声をあげた。

「こっちの方に来るのは初めてだったかい？」

「へい。木置場《きおきば》のあたりの方がまだ馴染《なじ》みがありますね。こりゃ、とんと田舎だぜ」

途中で肥やしを積んだ荷車とすれ違うと、糸吉は顔をしかめて腰を引いた。茂七は荷車を引いていた老人を呼び止め、角田七右衛門さんに会いに来たのだが——と訊《き》いてみた。

老人は、珍しそうに茂七と糸吉の顔を見くらべると、鰹節《かつおぶし》のような色合いにまで日焼けした頬をゆるめた。

「おまえさまたちも、お祝いにおいでなすったんですかえ」

「お祝い？　角田の家に祝い事があるのかい？」

「へい。お嬢さんが婿《むこ》をとることが決まりましたんで。今日が結納で、祝言《しゅうげん》は半月先です。そのときには、あっしらにも振る舞い酒が出るそうで」

老人を見送って、「いいときに来たな」と茂七は言った。「七右衛門も機嫌がいいだろう」

角田家に近づいてゆくと、遠くからでも、植え込みのすぐ内側、母屋の西側に、ひと目でそれとわかるしだれ桜の大木が、しなやかな枝を乱れ髪のように風になびかせているのが見えてきた。気の早い糸吉は、走って近づいて行ったが、背伸びをしたり

飛び上がったりしてみても、

「根元の土が新しいかどうかなんて、あっしには見分けがつかねえや」と言った。

しだれ桜は本来上方《かみがた》のもので、江戸ではめったにお目にかかることがない。だが、普通に茂七たちが目にする桜より、開花の遅いものであるらしい。枝にはまだ花びらのひとひらもなく、ただ枝全体がほんのりと紅色に染まって見えるだけだった。

どんなときにも表玄関からは出入りしないのが岡っ引きの常である。厩《うまや》の脇《わき》を通って母屋の勝手口に回り、お役目でお尋ねしたいことがあってお訪ねしたと告げると、茂七たちは奥に通された。床の間もない、余計な飾りのない簡素な座敷だが、畳替えをしたばかりなのか、い草《ぐさ》が香る。すぐに、おたきとはおよそ風情《ふぜい》の違う、上品な中年の女中が茶を持ってやってきた。

供された茶碗《ちゃわん》の中身を見ると、桜湯だった。塩漬けにした桜の花びらを浮かべてあるのだ。

「お嬢さんのご結納だそうで。お祝い事のさなかにお邪魔しまして、とんだ無粋を働きました」

「いえ、とんでもない。どうぞ、気持ちだけでございますが」

一度下がった女中は、料理や酒も運んできた。茂七たちは辞退したが、祝い事だから相伴してくれという。
「旦那さまはまもなく参ります。お待たせするあいだ、どうぞお召し上がりくださ
い」
遠慮するのも失礼ですよと、糸吉は料理に手をつけた。心なし嬉しそうである。
四半刻《しはんとき》ほどして、七右衛門がやってきた。時が時だから、紋付き袴《はかま》姿である。なか
なかの偉丈夫で、目鼻立ちがはっきりとしている。髪はごま塩で、それがまた品がい
い。一見して、若いころはさぞかし女泣かせだったろうと思われる老人だった。
袴をしゅっと鳴らして、七右衛門は上座に座った。人に見上げられることに慣れき
った者の鷹揚《おうよう》な態度だった。
「このたびは、まことにおめでとうございます」茂七は畳に手をついて丁重に挨拶《あいさつ》を
した。
「お祝い事をお邪魔しまして、申し訳ございません。おまけに私らまでご相伴にあず
かりまして……。本来なら日をあらためて出直して来るべきところですが、何分御用
の向きで急いでおりますので、失礼を承知で待たせていただきました」
岡っ引きに訪ねて来られるなど、何も無いときでさえ不愉快なことだろうに、先ん
じた茂七の挨拶が効いたのか、七右衛門は怒りを顔には出さなかった。

「お役目とあれば仕方がない」太い声で、てきぱきと言った。「しかし、こういう次第ですのでな。手早く済ませていただきたい」

承知しましたと頭を下げて、茂七はお夏の一件を話した。彼女の名を聞いたとたん、それまで上機嫌だった七右衛門の顔が曇った。祝い酒で赤くなった顔が歪《ゆが》むと、まるで仁王様のようだ。

「あの娘は気が触れているんだ」と、吐き捨てるように言った。「あんな娘の言うことを、あんたたちはまともに受け取るのかね」

茂七は落ち着き払って言った。「お夏の言うことだけを真に受けたわけじゃありません。ほかにももろもろございまして」

七右衛門は、勝蔵の手下《てか》みたいな粗暴な様子で、ふんと鼻を鳴らした。

「日道とかいう坊ずの言うことを、おまえさんたちも信じるのか？」

「いえ、日道が何を言ったかというより、日道が近頃人に襲われて、瀕死《ひんし》の怪我を負ったということの方が大事なんで」

七右衛門はびくりとした。かつてお夏が初めてここを訪ねてきて清一の名を出したとき、応対していた女中が顔色を変えたと言うが、そのときもこんな様子だったのだろう。角田家の人々がどういう気質であれ、隠れて何をしているのであれ、かなり正直な人柄であることに間違いはなさそうだ。

「そのことが、私どもとどんな関わりがあるのだろうかね」

「私らは、お夏の言っている雲をつかむような人殺しの話ではなくて、殺されかかった日道のことを気にしているのですよ。誰がそんなことをやらせたのか、突き止めたいんです。それで、少しでも日道に怒りを抱いている様子の人たちを探し出しちゃ、こうして会いにうかがっているというわけで」

七右衛門は笑い出した。「それなら、なおさら私など関わりはないよ。馬鹿《ばか》げた話で迷惑だとは思うが、かといってそれを吹聴《ふいちょう》した者をどうこうしようというほどのことではないからな」

「あのしだれ桜の根元に亡骸《なきがら》が埋められているなんてことを言われてもですか？」

七右衛門の笑いが消えた。

「根元の土が新しいようですね。掘り返した跡なんじゃないですかい？」

七右衛門のくちびるが、刃物のように薄くなった。微笑したらしい。

「しだれ桜は上方のものだ」

「へい、それは存じてます」

「あちらは江戸よりずっと暖かい。こちらでは春先でも霜が降りるし、空っ風も吹く。

しだれ桜を江戸で咲かそうと思ったら、始終金と人手をかけて手入れをしなくてはならないんだよ。地味が肥えるように、霜で固まらないように、根元を掘って新しい土を足すこともする。信じられないなら、うちに出入りしている庭師に訊いてみるといい」

そのあとは、茂七が何を言っても、七右衛門は相手になってくれなかった。関わりない、知らないを繰り返し、話の途中で再び袴を鳴らしてさっと立った。

「同じ話を繰り返していても仕方がない。私はこれで失礼しますよ。それが必要なら家の者たちに話を訊いてもらってもかまわないが、何分今日は娘の結納だ。ひとり娘の婿とりだから、客も呼んでにぎやかに披露している。あまり、邪魔立てするようなことは控えていただきたい」

客がどこに集まっているのか知らないが、どんな喧噪《けんそう》も聞こえてはこない。それだけ屋敷が広いのだ。

糸吉はつまらなそうに、料理の残った皿の脇に両肘《りょうひじ》をついた。

「親分、あんな馬鹿丁寧な口をきくんだもんなあ。もっと脅しつけてやりゃあよかったんですよ」

「相手は大地主だ。梶屋とはわけが違うよ」

茂七は冷えた料理をゆっくりと平らげた。糸吉が厠《かわや》を借りてくると立ち上がるのと入れ違いに、さっきの女中が料理を下げに来た。茂七たちがまだ居座っているのに驚いた様子だった。

「またお邪魔しますよ」と茂七が言うと、露骨に嫌な顔をした。

帰り道、屋敷が広すぎて迷っちまいそうで、どこが厠だかわからなかったという糸吉は、人目を盗んで田圃で立ち小便を垂れた。しきりに小鼻をひくひくさせ、

「やっぱりあっしは、田舎は嫌いだね」と文句も垂れる。「あんな立派な屋敷だけど、家のなかまで肥やしの臭いがするんですよ。廊下の奥の方へ行ってみたら、鼻がひん曲がりそうになっちまった」

茂七は、糸吉に命じて、二日に一度は角田家に顔を出し、周りをうろうろしていることを知らせてこい、と命じた。何か訊かれても答えることはない、ただ挨拶して帰ってくればいい、と。

一方で、顔が通っていない権三には、角田家の周りをつぶさに調べ、出入りの商人や小作人たちに聞き込んで、清一が姿を消した頃、角田家でいつもと違った人の出入りや不審な出来事がなかったかどうか調べ上げるようにと命令した。ふたりは——田

舎嫌いの糸吉はぶつくさ言ったが——すぐにとりかかり、茂七はまた懐手《ふところで》をして考えた。

これという決め手がないだけに、今は動きようがない。角田七右衛門の様子は確かに妙だが、それが清一と関わりがあるのかないのか、さっぱり見当がつかない。こんなときには、かえってあたふたしないほうがいいものだ。

梶屋からはまだ何も知らせてこない。思い立って、茂七は稲荷寿司《いなりずし》の屋台へ行くことにした。夜になって権三と糸吉が戻るのを待ち、ふたりを連れて家を出た。

花見に頃合いの夜で、富岡橋のたもとの屋台は混んでいた。並んで酒を売っている猪助《いのすけ》も大繁盛《だいはんじょう》だ。茂七は、いつもと変わらず物静かに口数少なく商いをしている親父《おやじ》に、権三と糸吉を引き合わせた。親父は喜び、茂七たちのために長腰掛けをひとつ空けて、次々と料理を出してきた。

「相当の腕前ですね」

鰆《さわら》の塩焼きをつつきながら、権三が言った。糸吉は大満足顔で料理を平らげ、居合わせた他の客たちと笑いさざめいたりして大いに楽しんでいる。

「おめえ、あの親父をどう思う？　根っからの板前だと思うかい？」

権三は穏和な顔をほころばせた。「あっしは元はお店者《たなもの》です。今は親分の手下になりましたけど、それでもお店者の匂いは残ってるでしょう?」

「うん。おめえはそろばん玉のような顔をしてるしな」

権三はあははと笑った。「あの親父にも、前の暮らしの匂いがあるように、あっしには見えます」

「先《せん》は何者だったと思う」

少し間《ま》をおいてから、権三は答えた。「包丁と刀は通じますね」

やはり、武士と思うのか。茂七は満足した。

酒が回るにつれて屋台の周りはにぎやかになり、お調子者が「花見の花が足りねえ。調達してこよう」などと言って出かけたかと思うと、どこかから桜の大枝を折り盗《と》って戻ってきた。だが、茂七たちが腰を据えて飲んでいるうちに、それらの騒がしい客たちも次第に引けてゆき、真夜中に近くなると、とうとう茂七たち三人だけになった。

「そろそろおつもりにしましょうか」と、親父が声をかけてきた。「蜆汁《しじみじる》をつくりましたよ」

茂七たちは親父の前の腰掛けに移り、熱い蜆汁に白い飯を味わった。猪助はそろそろ帰り支度にかかり、頭巾《ずきん》で禿頭《はげあたま》を包んでいる。

「帰りの樽《たる》が軽くていいだろう?」と、茂七は笑った。猪助は頭を下げて帰って行った。

　それを待っていたかのように、糸吉の飯のお代わりをよそいながら、親父が言い出した。

「日道坊やの件はどうなりましたか」

　糸吉がぎょっとしたように親父を見上げ、権三は茂七を見た。茂七はふたりにうなずきかけてから、親父に答えた。

「それが、妙なことになってな」

　糸吉が、本当にいいのかというような顔で見守る脇で、茂七は事の次第を親父に話した。親父は黙々と手を動かしながら聞いていたが、やがて目をあげると、

「あんな子供を襲うとは、人でなしのやることだ」と、珍しく強い口調で言い切った。

「まあな。だが、日道のやり口も誉《ほ》められたことじゃねえ。まあ、ぼろ儲《もう》けのつけが高くついたことは確かだが、これで少しは懲《こ》りたろう」

　親父は苦笑した。額に深いしわが寄る。

「親分がそういう突っ放した言い方をなさるのは、日道坊やのことだけだ」

「そうかな。俺はそう情に厚い岡っ引きじゃないんだぜ」

「あの子に本当に霊視ができるとお思いですか」

「さて、どうだろう」茂七は蜆汁を飲み終え、椀《わん》を置いて親父を見上げた。「正直言って、わからねえんだ」

「権三さんや糸吉さんはいかがです」

ふたりはちらと顔を見合わせた。糸吉が権三を肘でつついた。

「霊視ということは、あるんじゃねえかと思います」と、権三は答えた。「ただ、日道についちゃ、少し話が大げさすぎると思いますね。いくら霊視でも、あれほど詳しく見えるかどうか」

親父は屋台の後ろに腰をおろすと、ゆっくりとうなずいた。「私も同じように思います。親分、お気づきですか。あの三好屋の半次郎は、昔、岡っ引きの手下だったことのある男ですよ」

茂七も権三も糸吉も、立ち上がりかけるほどに驚いた。

「え、ホントかい？」

糸吉は目をぐりぐりさせる。

「だって三好屋の跡取りだったのに」

「若いころに、放蕩三昧《ほうとうざんまい》がたたって、一時勘当されていたんですよ。付き合う仲間が悪かったんでしょう。挙げ句に博打場《ばくちば》の手入れで捕まりましてね。それがきっかけで、岡っ引きの手下になったんです。確か、本郷《ほんごう》の方だと思いますが」

茂七やふたりの手下は違うが、いったいに岡っ引きやその小者《こもの》たちは、臑《すね》に傷持つ身であることが多い。つまり、最初は言ってみれば垂れ込み屋なのだ。親父が言ったように、博打で挙げられて、罪を許される代わりにお上のために働く――という例など、岡っ引き稼業《かぎょう》のあいだではよく耳にする話である。

茂七は、三好屋半次郎の落ち着きのない目配りを思い出していた。ああいう目つきをどこかで見たことがあると思ったものだが、そうかあれは岡っ引きの目か。あまりに近いので、かえってすぐには思い至らなかったのだ。

「しかし親父さん、どうしてそんなことを知っていなさるんです」

持ち前の滑らかな声で、権三が尋ねた。親父は微笑して、

「多少、縁がありまして小耳にはさんだんですよ」と答えた。「それより、日道坊やが霊視している事の内容は、その大方は、半次郎が調べ上げたことじゃないかと、私は睨《にら》んでいるんですが」

「というと？」

「日道坊やの霊視はいつも、その場でするものじゃあないでしょう。何日か日をおいて、ご託宣をする。探索ごとのいろはを知っている半次郎なら、それだけあれば、頼

み事を持ってきた人たちの周りをざっと調べることぐらい、易しい仕事じゃないですか。昔とった杵柄《きねづか》ですよ。もちろん半次郎だけの仕事じゃなく、たぶん、昔の仲間を頼って使っているんじゃないかとも思いますがね」

茂七は親父の意見を吟味してみて、納得できる節があると思った。なるほど、失《う》せ物《もの》探しや人探しは本来岡っ引きの仕事だし、人の恨みを受けて祟《たた》りがかかったなどの事情も、ちょっと手間をかければ造作なく調べ上げることができる。ただ、日道の許《もと》に持ち込まれる事件は、そもそも岡っ引きが相手にしないか、あるいは頼む側が表沙汰《おもてざた》にしたくないと思っているような類《たぐい》のものが多いというだけの違いである。

事情がわかってしまえば、あとは易しい。失せ物や人は見つけてやるか、手がかりを与えてやればいいのだし、祟りだ憑《つ》き物《もの》だという場合には、それらしい祈禱《きとう》をあげてやればいいのだから。

「だけどそれだって、最初のとっかかりってもんがあるでしょう」と、糸吉がまだ目を丸くしたまま言った。「何のとっかかりもなくちゃ、半次郎だって調べようがねえ」

親父はうなずいた。「ええ。だから、もしも日道坊やが霊視をしているとしたら、その部分じゃないでしょうかね」

そのとき、権三が屋台の向こうの暗闇《くらやみ》の方へ顔を振り向けた。茂七もつられてそちらを見た。誰か近づいてくる。

「あれ、梶屋だ……」と、糸吉が呟《つぶや》いた。

そのとおり、勝蔵だった。何やら思いにふけっているようで、ごつい頭をうつむけ、茂七たちに気づく様子もなくひたひたと雪駄《せった》を鳴らしてやってくる。

「よう、おめえも一杯やりに来たのかい」と、茂七は声をかけた。「空いてるよ。ただ、今夜は酒を売りきって、猪助じいさんは帰っちまったがな」

勝蔵は、滑稽《こっけい》なほどに驚いた様子を見せた。糸吉が忍び笑いをもらしたほどだった。屋台の親父は両手を下げて、暗がりに立つ勝蔵を、まぶしいものでも見るように目を細めて見つめていた。権三がそんな親父を見ている。

勝蔵は立ち止まり、肩を怒らせた。茂七はこいつはとんだ長《なが》っ尻《ちり》で邪魔をしちまったなと思った。勝蔵は今夜、どういう理由《わけ》があるにしろ、親父に会いにやって来たのだ。そのことで頭が一杯だったから、今の今まで茂七たちのいることにも気づかなかったのだ。

勝蔵ははったと糸吉を睨んだ。糸吉は笑いを引っ込めた。

「連中は、まだ見つからねえ」糸吉を睨んだまま、勝蔵は茂七に言った。「だが、糸は見えてきてる。もうじき、何とかなるだろうよ」

もう、屋台に近づく気はないようだ。茂七は言った。「ありがとうよ。よろしく頼んだぜ」

勝蔵は去ってゆく。来たときよりも早足だ。彼の姿が闇に消えると、それまで菊人形かなんかのようにじっとしていた親父が、急に動き出した。

「親分さんたち、甘いものは欲しくありませんか」

「あっしは好きだ」と、権三が言った。「何ですか」

「季節のもので、桜餅《さくらもち》ですよ」

「親父がこしらえたのか」

「ええ。でも、桜の葉の塩漬けは間に合いませんでしたからね。菓子づくりを習いに行っているところから分けてもらってきました。来年の春には、全部手づくりでできるでしょうが」

小さな桜餅が、皿に乗せられて出てきた。熱い番茶をもらって、茂七たちはそれを味わった。

「ひとつはおかみさんに。親父は桜餅を包んだものをふたつ用意すると、ひとつは、日道坊やの見舞いにしてください。親分は、三好屋に行きなさるでしょう？」

「ああ、行くよ。預かろう。あの子も喜ぶだろうよ」

どうせならこれも見舞いにと、糸吉が、先の客が折り盗ってきたきりそこらに転がされていた桜の枝から、細い小枝を折り取った。

四

翌日、茂七が三好屋を訪ねてゆくと、折良くちょうど医者が来ていて、日道は起きているという。

治療が済んで桂庵《けいあん》が出てきたところをつかまえて、様子を訊《き》いてみた。若々しい顔だが総髪には白髪《しらが》の混じっているところをみると、桂庵は四十ぐらいだろうか。落ち着いた口調で、多少月日はかかるが、日道は元通りの身体《からだ》になるだろうと請け合った。

「先生の腕がいいからだ。いや、あっしからも御礼申します」

そばに寄ると、桂庵の身体からも例の膏薬《こうやく》の臭《にお》いがした。茂七の顔を見て、医師は屈託なく笑った。

「臭いでしょう。しかし、この膏薬のおかげで私は名をなしたのですよ」

「この膏薬は、先生の処方で」

「そうですよ」

「他所《よそ》では手に入りませんか」

「いや、そんなことはない。頼まれれば、つくって他所に渡すこともあります。かなりの数になるので、家内は、この調合で大わらわの毎日だ」

医師を見送って、茂七は日道の部屋へと足を向けた。長話は駄目だと釘《くぎ》を刺されている。土産だけでも渡してやればいいかとも思った。

日道は寝床の上に起きあがり、母親だろう、襷《たすき》をかけた女が彼に寝間着を着せていた。身体は晒《さらし》でぐるぐる巻きにされているが、赤黒い痣《あざ》がところどころにはみ出している。片目が腫《は》れあがり、ほとんどふさがっているのが痛々しい。座敷中に、桂庵特製の膏薬の臭いがこもっていた。

「親分さん」襷の女がさっと進み出て、日道をかばった。「三好屋の家内の美智《みち》です。お話ならあたしがうかがいますから」

「いや、いいんだよ。難しいことを言いに来たわけじゃねえ」

茂七は懐《ふところ》から桜餅の包みを出した。

「富岡橋のたもとに旨《うま》い稲荷寿司屋がいてな。近頃じゃ菓子もつくる。桜餅だ。あの屋台の親父のことは知ってるだろう? 先にここに来たことがあるからな」

「そっちは桜ですね」と、日道が——いや、か細い声の、今は三好屋の長助だ——茂七が片手に持っている桜の枝に目をとめて言った。

「もうそんなに咲いてるんだ」

「ああ、満開だよ。花見を損じて残念だったな」

茂七は、桜の枝を畳の上に置いてやった。お美智は警戒するような顔つきで長助と茂七を見比べている。

「おっかさん、桜餅を食べたいよ。喉《のど》も渇いた。お湯を持ってきて」と長助が言った。

お美智は振り向き振り向き出ていった。すごい勢いでとって返してくることだろう。時間はあまりない。

「命を拾って、よかったな」

布団《ふとん》の脇《わき》に近寄って、茂七は言った。長助は黙ってこっくりをした。

「おめえを襲った連中を見つけ出して、ぎゅうと言わせてやるつもりだ。だが、正直言ってどうも雲をつかむようでな。おめえに、何か心当たりはねえかい？」

長助は、無惨《むざん》に腫れあがったまぶたをしばたたき、黙っている。茂七は哀れでたまらなくなってきて、つい口に出した。

「なあ、おめえ。こんなことはもう止《や》めたらどうだ」

長助は茂七を見た。疲れたような顔をしている。

「おめえの霊視とやらは、親父さんが調べ上げたことをしゃべってるだけなんじゃねえのかい？　おめえの親父さんは、勘当が解けてここへ帰ってきて跡をとるまで、岡っ引きの手下をしてたんだ。そうだろう？」

長助は、茂七にもらった桜の枝をつかもうとして、つかみ損ねた。手も晒で巻かれている。茂七は桜の枝をつかみ、夜着の上に乗せた。

「きれいだね」と、長助は言った。

ふたりで黙り込んでいた。もうすぐ、お美智が戻ってくるだろう。茂七は諦《あきら》めかけた。が、長助がうつむいたまま、ぽつりとこぼすように言った。

「本当に見えることもあるんだよ」

傷ついた子供の顔は、怖いほどに真剣で、それでいてひどく悲しそうだった。

「そうか……」と、茂七はうなずいた。「でも、見えても黙っていりゃいいだろう。おめえだって、こんなひどい目に遭わされるのは、もう嫌だろう？」

「おとっつぁんが……」

茂七は首を振った。「見えなくなったって言えばいい。三好屋は繁盛《はんじょう》してるんだ。見料が入らなくなったって、ちっとも困りゃしねえ」

長助は茂七の目を見た。晒とまだらな痣のあいだからのぞく瞳《ひとみ》が、そのときだけ、日道の目に戻ったように茂七には思えた。

「だけど、おいらを頼りに来る人たちをがっかりさせられないよ」

茂七は言葉をなくしてしまった。強いて心を叱咤《しった》して、続けた。

「お夏って娘が訪ねてきたときのこと、覚えてるか。許婚者《いいなずけ》を探してくれって」

同情して、じかに引き受けた話だったからだろう。日道は覚えていた。

「あの霊視はどうだ。おめえはどこまで見た？　本当に、清一って男がしだれ桜の下に埋められているのを見たのかい？」

日道は首を振った。怪我《けが》のせいで気も弱り、子供の心に返っているのだろう。てらいもなく、素直な口調で、「しだれ桜と、男の人が大怪我をしてるところまでは、見た」

「じゃ、あとはおとっつぁんの？」

「そう。調べたら、桜の木の下の土に掘り返した跡があったって。そこに埋められてることにしようって。どうせ、確かめられることじゃないからね」

今さらのように、茂七は腹が立ってきた。

「おとっつぁんも罪なことをするな」

「……ごめんよ」

「お夏にだけじゃねえよ。誰よりも、おめえに酷なことをしてるって言ってるんだ」

日道は晒に巻かれた手から指を出して、桜の花びらに触れた。

「屋台の小父《おじ》さんに、桜餅ありがとうと言ってください」

「……うん」

「あの小父さんの隠してること、親分に教えようか」

茂七の心をのぞきこむように、ちょっと頭をかしげ、日道は言った。

「あの小父さん、誰かを探しているんだよ。あそこで屋台を張ってるのはそのためだよ。その誰かに、とっても会いたがっているんだ」

茂七はゆっくりと言った。「それは、おめえの霊視か？」

「うん」

「じゃあ、今言ったことは腹のなかにしまっておきな」

そこへ、お美智が戻ってきた。半次郎まで一緒だった。

「もうおいとまするところだよ」茂七は立ち上がった。「倅《せがれ》さんを大事にな」

出てゆく茂七の背後で、白い唐紙がぴしゃりと閉まった。

それから数日後、探索の甲斐《かい》があって、権三が収穫を持って帰ってきた。角田家のそばに住んでいる小作人が、ちょうど清一が姿を消した夜、見慣れない男が地主の家に入ってゆくのを見かけたというのだ。

「病気の馬の面倒をみていて、遅くまで起きてたっていうんですよ。訊いてみると、その男の背格好は清一によく似ていました。男は、すぐには家のなかに入らずに、しばらく植え込みのあたりをうろうろしていたそうで。満月の夜だったから、小作人は男の顔も見ていました。清一の人相書きを見せたら、間違いないと言いましたよ」

では、清一はやはり角田家を訪ねていたのだ。日道は、彼が大怪我をしていると言った。その傷が因《もと》で死んだのか。死んで埋められているのか。

眉間《みけん》にしわを寄せて考え込んでいると、権三が続けた。「それと親分、角田の家には、時々医者が出入りしてますよ」

「医者?」

「ええ。七右衛門が痛風持ちだとかで。薬箱を担《かつ》いだお供を連れて、三日に一度くらいの割で医者が通ってくるんですよ」

茂七はぽかんと口を開いた。しばらくそうしていた。それから、座ったまま大声で糸吉を呼んだ。権三と一緒に帰ってきて、台所でかみさんを手伝っていた糸吉が、びっくりして飛んできた。

「何です？」

「おめえ、角田の家で厠《かわや》を借りようとしたとき、あの家のなかは妙に臭いと言ってたよな？」

「へ？」糸吉は間抜けな声を出した。「臭いって、何が」

「臭ったと言ったろう。肥やしの臭いが」

「ああ、ああ、そうです」

「それは本当に肥やしの臭いだったか？　間違いねえか？」

「さあ……」糸吉は首をひねる。「どうかなあ。鼻の曲がるような臭いだったけど」

茂七は糸吉を連れ出すと、浅草の桂庵の住まいまで走って行った。家に近づくと、糸吉が飛び上がるようにして言った。

「親分、この臭いですよ！」

茂七は権三と糸吉を連れ、お夏を伴い、桂庵にも同道してもらって、再び角田七右衛門を訪ねた。お夏は走るようにしてついてきた。

清一は、確かに角田家にいるのである。ただ、殺されてはいない。たぶん怪我をして動きがとれなくなっているのだ。角田家では彼を閉じこめ、膏薬を使い医師に診せて密《ひそ》かに治療をしているのだろう。清一は消えたのでも、死んだのでもない。ただ、入ったきり出てこないというだけのことだ。

応対した七右衛門は、怒りを露《あらわ》に、知らぬ存ぜぬを繰り返していたが、茂七が小作人が清一の顔を見ていることを話し、桂庵の膏薬の臭いを指摘し、誰が使っているのかと問いつめると、ようやく折れた。

「清一は、離れに閉じこめてあります」と、悔しそうに奥歯を噛《か》みしめながら言った。「あの夜押し掛けてきて騒ぎを起こしたので、家の者を呼んで止めようとしたときに、少し度がすぎてあれを痛めつけてしまいました。傷が治ったら、金を与えて江戸を出そうと思っていた」

お夏が叫んだ。「それならそれで、どうしてあたしに話してくれなかったんです？」

七右衛門は冷たかった。「話せば、事が公《おおやけ》になる。娘の縁談にもさわるかもしれん。どうせ清一など、ろくな男じゃない。あんたも早く忘れた方がいい」

「ひどいわ！ どうしてそんなことがわかるんです」

「わかるのだ」と、七右衛門はきっぱりと言い切った。「清一は、二十年前に、私が女中に産ませた子供だからな」

七右衛門の言葉どおり、清一は離れの座敷にいた。日道よりはましな状態だが、ほとんど歩くこともできないし、右手は動かない。それでも、飛びついていったお夏を抱き留めて、何度も謝った。

「俺はおまえのところに帰るつもりだったんだ」と、繰り返し繰り返し言った。

「なんでこんなところへ来たのよ」

お夏は泣いていた。喜びの涙だが、悔し泣きでもあるかもしれない。

「あんたのこと、聞いたわ。あんたのおっかさんは、ここの女中だったって。あんたを産んで、まもなく死んだって。あんたはここを追い出されて、ひとりで苦労してきたのよ。どうして今になって訪ねてきたりしたのよ。あんな人でなし、親じゃないよ」

清一がこの家を出たのは、数えで七つの歳《とし》だった。捨てられたのではなく、俺がこの家を逃げだしたのだと彼は言った。

「馬や牛よりひどい扱いしかしてもらえなかったからさ」

七右衛門の正妻は、悋気《りんき》のきつい女性だったようだ。七右衛門が手をつけた女中はもう死んでいるというのに、思い出したように清一を折檻《せっかん》しては、昔の憂《う》さを晴らしていた。それに耐えきれなくなって、清一は母の位牌《いはい》だけを抱き、裸足《はだし》で逃げた。

だがしかし、いつか一人前の大人になったら、きっとこの家に戻ってきて、自分の受けた仕打ちについて、ひと言もふた言も言ってやろうと、心の底で決めていた。子供のことだから、角田家が江戸のどのあたりにあるのか、しかとはわからなかったが、深川の内で、広い田圃《たんぼ》に囲まれて、庭にしだれ桜の木がある家だということだけ、頭に刻んで覚えていた。

「忘れられなかったさ」と、清一は言った。

「俺の頭のなかにも、あのしだれ桜が生えてくるみたいだった。あの庭で殴られちゃ、飯も食わせてもらえずに、杭《くい》につながれて放っておかれた。俺にそんな扱いをしながら、角田の家じゃ、あの桜に大枚の金をかけて育ててたんだ」

しかし、いよいよ角田家に来たときには、さすがに気迷いがして、すぐには入れなかった。このまま帰ろうかと思った。決心がついたのは、あのしだれ桜が、記憶のなかのそれよりもずっと大きく太くなって、たくさんのつぼみをつけているのを見たときだ。

「最初、親父《おやじ》は俺がわかりませんでした」と、清一は茂七に言った。「俺が清一だっていうと、顔色を変えましたよ。所帯を持って一人前の男になるから、それを知らせに来たって言ったら、金が欲しいのかって、俺に小粒を投げつけた。かっとして何がなんだかわからなくなっちまったのは、そのときです」

清一の荒れ方が激しかったことと、角田家でもとりのぼせたのとで、事がまずくなったのだ。清一は、駆けつけた人たちに、素手だけでなく棒などでも殴りつけられ、倒れて気を失った。そのままずっと、ここにいたのだ。下手に彼を帰して騒ぎになれば、角田の家の恥になるし、娘の婿《むこ》とりにも差《さ》し障《さわ》りが出ると、七右衛門が考えたためである。

「それでも、おめえをちゃんと医者に診せてくれたってことだけは、角田の家もましだったな」と、茂七は言った。

前回と打って変わって、愛想も丁寧さもかけらもなくなった女中に、清一を乗せて帰るから戸板を貸してくれと言っても、返事もしない。仕方なく、茂七たちは小作人のひとりに頼んで荷車を貸してもらった。

しだれ桜は、まだ咲いていない。枝が優美に揺れている。荷車の上でお夏に支えられながら、清一は、それが見えなくなるまで睨《にら》みつけていた。

それから二日ほど経《た》って、梶屋が、日道を襲った男たちが見つかったと知らせてよこした。彼らはよほど震え上がったのか、茂七の問いにすらすら返答した。確かに、角田七右衛門に雇われたという。

茂七としては腹が煮えくり返る思いだったが、三好屋が事を公にしたがらないので、日道のことについては、お上に訴えることが難しい。清一も、もう角田家とは関わりたくないという。

茂七は一計を案じた。雇われた男たちにお灸《きゅう》を据える役目は梶屋に任せ、彼らを骨まで萎《な》えさせたあと、角田家に行って治療費をもらってこいと言わせた。男たちは角田家に殴り込んだ──らしい。大枚の金もせしめたのだろう。それからしばらくして、角田家の娘は無事に婿をとった。

男たちがゆすりとった治療費は、梶屋が取り上げた。そのうちのいくばくかの金は、清一に渡った──ということを、茂七は知らない。知らないことになっている。

葉桜のころになって、茂七一家は、ようやく遅い花見に繰り出した。かみさんの詰めた重箱を囲んで酒を飲み、せいぜい酔っぱらって楽しく騒いだ。

帰り道、権三が、糸吉とかみさんの耳をはばかるようにして、そっと茂七にささやいた。

「例の屋台の親父ですが」

「うん」

「元は侍だったとして、あれだけ町場のことに詳しいのは、やっぱり不思議ですよ。縁があって三好屋のことを知ってるなんて言ってましたが、そんな簡単なことじゃねえはずだ」

それは茂七もそう思う。

「侍は侍でも、町方役人だったんじゃないでしょうか」と、権三は言った。「本所深川方じゃなければ、親分も顔を知らないお方がいるでしょう」

「さあ、それはどうかな」茂七は曖昧《あいまい》に答えた。

あの親父が、昔町方役人だったなら、いくら縄張が違おうと、茂七にもそれと見当がつくはずだ。だが、権三の言うことも当たってはいる。あの親父は、町場の探索事に携わる侍だったのだ。きっとそうだと、茂七も思う。

では、そういう役職が、町方役人のほかにあるか。

ひとつだけある。加役方《かやくがた》――火付盗賊改《ひつけとうぞくあらため》がそれだ。

だが、これはあまりにも突飛で、ちょっと言い出す気になれない。だから茂七は酔ったふりをしていた。だいたい、更《ふ》けてゆく春の宵に、考え事はふさわしくないものだ。

「葉桜もいいもんねえ」と、かみさんが言っている。角田家のしだれ桜も、今頃は咲いているだろうかと茂七は思った。

新潮文庫版のためのあとがき

このたび、本連作短編集『初ものがたり』が新潮文庫に収録されるにあたりまして、読者の皆様に、著者よりひと言ご挨拶《あいさつ》をさせていただきたく、このページをいただきました。

まずは、何をおいても、拙作をご愛読いただきましたことに、厚く御礼申し上げます。短い時間でも、お愉《たの》しみいただければこれ以上嬉《うれ》しいことはありません。加えて、本書では、登場する様々な食べ物に、「ちょっと美味《おい》しそうだな」と感じていただければ、さらに幸せです。蛇足ながら、作中に登場する料理は、みな、実際につくって食べることができるものです。

なにしろ小心なわたくしは、著者の生の声を出すと、どうしても見苦しく言い訳がましいことを書き連ねてしまいがちなもので、日ごろは極力、あとがきを書くことを避けております。ただ今回は、ご一読いただけましたら一目瞭然《りょうぜん》ですが、本作品集『初ものがたり』は、いかにも「まだまだ続きますよ」という体裁をとった作品集でありながら、事実上この一冊で作品の刊行が停まっているという、たいへん中途半端《はんぱ》な形になってしまっているものですから、それにつきまして、簡略乍《なが》らご説明を添えるのが読者の皆様への礼儀と感じました。

『初ものがたり』は、やはりこの新潮文庫に収録されております『本所深川ふしぎ草紙』で初登場した岡っ引き〝回向院《えこういん》の茂七《もしち》〟と、その子分たちを中心にして、連作形式の捕物帖《ちょう》を書きたいというわたくし自身の希望で、一九九四年新春に、「小説歴史街道」誌上でスタートした連作でありました。誌上では木田安彦先生の素晴らしい挿画をいただき、とても楽しく仕事をさせていただいたのですが、ちょうど『初ものがたり』一冊分の作品が集まったころに、たいへん残念なことに、諸々《もろもろ》の事情がありまして、「小説歴史街道」は休刊、間もなく廃刊となってしまいました。

その時点で、すぐに次の嫁入り先を探す段取りもできたのではありますが、これはまたわたくしの側の都合もありまして、即断即決で他誌へ家移りするわけにもいかない事情が種々生じ、結果的に、連作としては〝以下次号〟のままの状態で、本書の親本『初ものがたり』一冊が世に出ることになった——という次第でございます。

刊行当時、周囲の先輩作家や友人、編集者の皆さんからも、稲荷寿司《いなりずし》屋台の親父《おやじ》の正体は何なのか、日道坊やはどうなるのか、あの連作は続けないのかと、好意的なお訊《たず》ねをいくつか受けました。わたくし自身にとっても、茂七親分の活躍する捕物帖は、長いスパンで大切に、愉しみながら書いてゆきたい作品でございます。ですから、そのたびに、「いつか必ず再開します」とお答えしておりました。

その気持ちは、現在もまったく変わっておりません。かくも長き中断というのも、読者の皆様には興ざめに感じられることと存じますが、いずれ必ずというお約束をお詫《わ》びの言葉にかえさせていただき、ここにお許しを願いあげる次第でございます。

平成十一年九月吉日

宮部みゆき

この作品は平成七年七月ＰＨＰ研究所より刊行され、
平成九年三月ＰＨＰ文庫に収められた。

宮部みゆき著

魔術はささやく

日本推理サスペンス大賞受賞

それぞれ無関係に見えた三つの死。さらに魔の手は四人めに伸びていた。しかし知らず知らず事件の真相に迫っていく少年がいた。

宮部みゆき著

レベル７《セブン》

レベル7まで行ったら戻れない。謎の言葉を残して失踪した少女を探すカウンセラーと記憶を失った男女の追跡行は……緊迫の四日間。

宮部みゆき著

返事はいらない

失恋から犯罪の片棒を担ぐにいたる微妙な女性心理を描く表題作など6編。日々の生活と幻想が交錯する東京の街と人を描く短編集。

宮部みゆき著

龍は眠る

日本推理作家協会賞受賞

雑誌記者の高坂は嵐の晩に、超常能力者と名乗る少年、慎司と出会った。それが全ての始まりだったのだ。やがて高坂の周囲に……。

宮部みゆき著

本所深川ふしぎ草紙

吉川英治文学新人賞受賞

深川七不思議を題材に、下町の人情の機微とささやかな日々の哀歓をミステリー仕立てで描く七編。宮部みゆきワールド時代小説篇。

宮部みゆき著

かまいたち

夜な夜な出没して江戸を恐怖に陥れる辻斬り〝かまいたち〟の正体に迫る町娘。サスペンス満点の表題作はじめ四編収録の時代短編集。

宮部みゆき著

淋しい狩人

東京下町にある古書店、田辺書店を舞台に繰り広げられる様々な事件。店主のイワさんと孫の稔が謎を解いていく。連作短編集。

宮部みゆき著

火車

山本周五郎賞受賞

休職中の刑事、本間は遠縁の男性に頼まれ、失踪した婚約者の行方を捜すことに。だが女性の意外な正体が次第に明らかとなり……。

宮部みゆき著

幻色江戸ごよみ

江戸の市井を生きる人びとの哀歓と、巷の怪異を四季の移り変わりと共にたどる。〝時代小説作家〟宮部みゆきが新境地を開いた12編。

宮部みゆき著

平成お徒歩《かち》日記

あるときは、赤穂浪士のたどった道。またあるときは箱根越え、お伊勢参りに引廻し、島流し。さあ、ミヤベと一緒にお江戸を歩こう！

宮部みゆき著

堪忍箱

蓋を開けると災いが降りかかるという箱に、心ざわめかせ、呑み込まれていく人々——。人生の苦さ、切なさが沁みる時代小説八篇。

宮部みゆき著

理由

直木賞受賞

被害者だったはずの家族は、実は見ず知らずの他人同士だった……。斬新な手法で現代社会の悲劇を浮き彫りにした、新たなる古典！

宮部みゆき著
模倣犯
芸術選奨受賞（一〜五）
邪悪な欲望のままに「女性狩り」を繰り返し、マスコミを愚弄して勝ち誇る怪物の正体は？著者の代表作にして現代ミステリの金字塔！

宮部みゆき著
あかんべえ（上・下）
深川の「ふね屋」で起きた怪異騒動。なぜか娘のおりんにしか、亡者の姿は見えなかった。少女と亡者の交流に心温まる感動の時代長編。

宮部みゆき著
孤宿の人（上・下）
藩内で毒死や凶事が相次ぎ、流罪となった幕府要人の祟りと噂された。お家騒動を背景に無垢な少女の魂の成長を描く感動の時代長編。

宮部みゆき著
英雄の書（上・下）
中学生の兄が同級生を刺して失踪。妹の友理子は、〝英雄〟に取り憑かれ罪を犯した兄を救うため、勇気を奮って大冒険の旅へと出た。

畠中恵著
しゃばけ
日本ファンタジーノベル大賞優秀賞受賞
大店の若だんな一太郎は、めっぽう体が弱い。なのに猟奇事件に巻き込まれ、仲間の妖怪と解決に乗り出すことに。大江戸人情捕物帖。

畠中恵著
ぬしさまへ
毒饅頭に泣く布団。おまけに手代の仁吉に恋人だって？　病弱若だんな一太郎の周りは妖怪がいっぱい。ついでに難事件もめいっぱい。

伊坂幸太郎著
オーデュボンの祈り
卓越したイメージ喚起力、洒脱な会話、気の利いた警句、抑えようのない才気がほとばしる！ 伝説のデビュー作、待望の文庫化！

伊坂幸太郎著
ラッシュライフ
未来を決めるのは、神の恩寵か、偶然の連鎖か。リンクして並走する4つの人生にバラバラ死体が乱入。巧緻な騙し絵のごとき物語。

伊坂幸太郎著
重力ピエロ
ルールは越えられるか、世界は変えられるか。未知の感動をたたえて、発表時より読書界を圧倒した記念碑的名作、待望の文庫化！

伊坂幸太郎著
フィッシュストーリー
売れないロックバンドの叫びが、時空を超えて奇蹟を呼ぶ。緻密な仕掛け、爽快なエンディング。伊坂マジック冴え渡る中篇4連打。

伊坂幸太郎著
砂漠
未熟さに悩み、過剰さを持て余し、それでも何かを求め、手探りで進もうとする青春時代。二度とない季節の光と闇を描く長編小説。

伊坂幸太郎著
ゴールデンスランバー
山本周五郎賞受賞
本屋大賞受賞
俺は犯人じゃない！ 首相暗殺の濡れ衣をきせられ、巨大な陰謀に包囲された男。必死の逃走。スリル炸裂超弩級エンタテインメント。

新潮文庫最新刊

代々木 忠著
つながる
―セックスが愛に変わるために―
体はつながっても、心が満たされない――。AV界の巨匠が、性愛の悩みを乗り越え〝恋愛する力〟を高める心構えを伝授する名著。

「週刊新潮」編集部編
黒い報告書 インフェルノ
色と金に溺れる男と女を待つのは、ただ地獄のみ――。「週刊新潮」人気連載からセレクトした愛欲と官能の事件簿、全17編。

新潮社編
私の本棚
私の本棚は、私より私らしい！ 小野不由美、池上彰、児玉清ら23人の読書家が、本への愛と置き場所への悩みを打ち明ける名エッセイ。

C・ペロー
村松 潔訳
眠れる森の美女
―シャルル・ペロー童話集―
赤頭巾ちゃん、長靴をはいた猫から親指小僧、シンデレラまで！ 美しい活字と挿絵で甦ったペローの名作童話の世界へようこそ。

J・ヒルトン
白石 朗訳
チップス先生、さようなら
自身の生涯を振り返る老教師。生徒の愉快な笑い声、大戦の緊迫、美しく聡明な妻。英国パブリック・スクールの生活を描いた名作。

知念実希人著
天久鷹央の推理カルテⅣ
―悲恋のシンドローム―
この事件は、私には解決できない――。天才女医・天久鷹央が解けない病気《ナゾ》とは？ 新感覚メディカル・ミステリー、第4弾。

初《はつ》ものがたり

新潮文庫　み-22-10

平成十一年九月一日発行
平成二十六年八月二十五日三十四刷改版
平成二十八年二月十五日三十五刷

著者　宮《みや》部《べ》みゆき

発行者　佐藤隆信
発行所　株式会社　新潮社
郵便番号　一六二―八七一一
東京都新宿区矢来町七一
電話　編集部(〇三)三二六六―五四四〇
　　　読者係(〇三)三二六六―五一一一
http://www.shinchosha.co.jp
価格はカバーに表示してあります。
乱丁・落丁本は、ご面倒ですが小社読者係宛ご送付ください。送料小社負担にてお取替えいたします。

印刷・二光印刷株式会社　製本・株式会社大進堂

ISBN978-4-10-136920-4 C0193